A caro amigo
Dalvany,
com votos de paz.
Suely C. Schubert
21/07/12

Suely Caldas Schubert

MENTES INTERCONECTADAS E A LEI DE ATRAÇÃO

Mentes Interconectadas e a Lei de Atração

Editor: Miguel de Jesus Sardano
Supervisor editorial: Tiago Minoru Kamei
Capa: Décio Lopes
Projeto gráfico: Gerson Reis – Estúdio Japiassu Reis
Revisão: Rosemarie Giudilli Cordioli
1ª Edição – 2010
3ª Impressão – novembro de 2011 – 3.000 exemplares
Impressão: Assahi Gráfica e Editora Ltda.

Impresso no Brasil
Printed in Brazil

ebm editora

EBM EDITORA
Rua Silveiras, 23 – Vila Guiomar
CEP 09071-100 – Santo André – SP
Tel. 11 3186-9766
E-mail: ebm@ebmeditora.com.br
Hyperlink www.ebmeditora.com.br

Dados Internacionais de Catalogação na Publicação (CIP)
(Câmara Brasileira do Livro, SP, Brasil)

Schubert, Suely Caldas
Mentes interconectadas e a Lei de Atração / Suely Caldas Schubert. -- 1. ed. -- Santo André, SP : EBM Editora, 2010.

ISBN 978-85-87011-32-9

1. Atrações 2. Controle da mente 3. Espiritismo 4. Espiritualidade 5. Mediunidade 6. Mente e corpo 7. Pensamento 8. Vida espiritual I. Título.

10-05403 CDD-133.901

Índices para catálogo sistemático:

1. Mentes interconectadas e a Lei de Atração : Doutrina espírita 133.901

Suely Caldas Schubert

MENTES INTERCONECTADAS E A LEI DE ATRAÇÃO

ebm

Sumário

Frases...

"É verdadeiro, completo, claro e certo.
O que está embaixo é como o que está em cima e o que está em cima é como o que está embaixo."

Hermes Trismegisto –
Tábua de Esmeralda

"Por um poder imortal, todas as coisas, perto ou distantes, ocultamente estão ligadas entre si.
E tão ligadas estão, que não se pode tocar uma flor sem incomodar as estrelas."

Francis Thompson

"O homem semeia um pensamento e colhe uma ação, semeia um ato e colhe um hábito.
Semeia um hábito e colhe um caráter.
Semeia um caráter e colhe um destino."

Swami Sivananda –
O Poder do Pensamento pelo Yoga

"É assim que tudo serve, que tudo se encadeia na Natureza, desde o átomo primitivo até o arcanjo, que também começou por ser átomo."

Allan Kardec – O Livro dos Espíritos q. 540

"Tudo o que está em nós está no Universo e tudo o que está no Universo encontra-se em nós."

Léon Denis – O Problema do Ser, do Destino e da Dor

Apresentação

Este livro expressa a busca pela Espiritualidade. Nada mais necessário nos dias atuais.

Escrevo no mês de janeiro de 2010. Há poucas semanas aconteceu o trágico terremoto no Haiti, quando morreram mais de cem mil pessoas.

Na Europa, nos Estados Unidos, na China, nevascas como há muito não se via.

No Brasil, chuvas torrenciais há meses e, neste mês de janeiro, ainda mais intensas, alagando, produzindo enchentes; são rios que sobem mais de 9 metros, e barrancos que desmoronam em cima de casas, matando pessoas de todas as idades. Cidades inteiras debaixo das águas.

Enquanto isso a violência prossegue grassando, fazendo um número cada vez maior de vítimas fatais, levando famílias ao desespero; desespero esse, tanto quanto o dos haitianos, que choram seus entes queridos soterrados e a cidade devastada. Concordo.

Mas, há uma enorme diferença entre os que foram

vítimas dos flagelos da Natureza e aquelas pessoas que tombaram por ações criminosas; pela selvageria de outros seres humanos.

A lista dos descalabros e dos sofrimentos é imensa, e eu poderia relacionar aqui um vasto panorama acerca de tudo o que o mundo vive na atualidade.

Mas, você que está lendo, sabe.

Não se pode deixar de mencionar, porém, a ajuda humanitária que muitas nações estão prestando ao Haiti, incluindo o Brasil. De todos os lados chegam recursos visando minimizar os efeitos do terremoto; gestos de solidariedade procuram suavizar, de algum modo, os sofrimentos que o povo haitiano está enfrentando.

Ser solidário com o próximo denota mudança expressiva na compreensão da vida. Não importa a religião – a ação altruística e a solidariedade não têm fronteiras e nem tão pouco feição religiosa.

De repente estamos conscientes de que a dor dos outros, de alguma forma, repercute em nós. A constatação dessa realidade enseja o despertar espiritual. Mentes interconectadas em um Universo entrelaçado vibratoriamente.

A física quântica alargou os horizontes mentais de quantos se interessam por uma nova era, evidenciando que não há limites para a evolução humana. A busca, hoje, enveredа pelos campos da Espiritualidade.

Este o propósito deste livro.

Em sua primeira parte apresento uma linha de raciocínio que encaminhe o leitor para os assuntos da segunda parte.

Apresento, em cada capítulo, várias opiniões dos mais renomados autores que se empenham em alargar a nossa visão de mundo.

Físicos, cientistas, escritores apresentam importantes contribuições, com vistas a uma mudança de paradigma. Há mais de dois séculos impera o paradigma que contempla o materialismo, engessando o pensamento humano e o afastando da sua condição espiritual.

Esclareço, todavia, que ao evidenciar que os postulados do Espiritismo estão acordes com essa nova consciência, deixo implícito o entendimento de que todas as religiões caminham na mesma direção, que é, aliás, a visão espírita. Procuro com muita atenção e respeito ressaltar esse aspecto, pois a mim é extremamente grata a ideia de que todos somos irmãos, filhos do mesmo Pai, integrantes da família universal.

Ressalto que, em determinados momentos esta obra encontra-se fundamentada no conhecimento multimilenar da cultura oriental, com a menção de alguns de seus grandes vultos e respectivas obras.

Espero ter alcançado o objetivo principal, que é o de ressaltar a nossa condição espiritual e, como via de consequência, a nossa interconexão com o Universo.

De uma forma ou de outra caminhamos na incessante busca pela verdade.

Conhecereis a verdade e a verdade vos libertará, disse Jesus. (Jó, 8:32).

Aqui começa a nossa viagem.

Seja feliz! [1]

[1] A palavra "psi" usada neste livro foi criada em 1942, pelo psicólogo britânico Robert Thouless, como um termo neutro para designar fenômenos psíquicos. Refere-se à 23ª letra do alfabeto grego. "Psi" também é a primeira letra da palavra grega *psichê*, com significado de "mente" ou "alma". As experiências psíquicas comuns incluem conexões de mente para mente (telepatia), percepção de objetos ou eventos a distância (clarividência), percepção da ocorrência de eventos futuros (precognição) e interações entre a mente e a matéria (psicocinese).

Agradecimentos

Várias ideias contidas neste livro foram temas de excelentes conversas entre amigos, no aconchego da casa da querida amiga Consolação Muanis. Reunidos ali, naquela afetuosa troca de conhecimentos, tive a satisfação de receber do amigo Cleber Mauricio Gonçalves, importantes contribuições para alguns dos aspectos que estava abordando. Junto a nós estavam outros amigos tais como: Lenise Gonçalves, Maria Trindade do Nascimento, Abigail Magalhães, Fernando Mendes, Vitor Ferraz Santos, cada um contribuindo com seus comentários e incentivo. Minha gratidão a vocês!

Especial agradecimento à Consolação Muanis, a quem devo a revisão cuidadosa de cada capítulo deste livro e por sua abalizada opinião em muitos momentos. Lembrando também do querido casal Odete e Luiz Carlos Ferraz, da cidade de Resende (RJ), pelo incentivo e, especialmente pela colaboração de Ferraz para este livro.

Sou grata a Luiz Antonio Saegusa, pois foi graças a uma proveitosa conversa que tivemos, em uma tarde, na

Editora e Distribuidora Bezerra de Menezes, em Santo André, que surgiu a ideia deste livro. Ao nosso lado, nesse momento, Miguel Sardano, dando-me o incentivo necessário para levar adiante o projeto e propiciando meios para isso, o meu agradecimento.

Aos queridos amigos Lucia Flores Moehlecke e Jorge Henrique Moehlecke, de Novo Hamburgo (RS), pela amizade e carinho, a minha gratidão.

Agradeço aos amigos da FEB, nas pessoas de seu presidente, Nestor João Masotti e Ilcio Bianchi, gerente da revista Reformador, pelo apoio constante e afetuoso.

Minha gratidão aos queridos amigos de São Bernardo do Campo (SP), Gloria Guimarães Caribé, Edson Lorenzini, Décio Norberto Gomes, Alfredo Sertório e ao casal Leila e Civaldo Velar. Nossas reuniões de estudos e conversas são fontes de estímulo e alegria.

Agradecendo também ao querido amigo José Maria de Medeiros Souza, parceiro do nosso programa na Rede Boa Nova, "Mediunidade, caminho para ser feliz", sempre disposto a ajudar, em momentos em que recorremos à sua bondade.

A você, Fernando de Sá Leitão, querido amigo da cidade de Assu (RN) um agradecimento especial, por me acompanhar nessa jornada com seu apoio e gentilezas.

Sem esquecer dos queridos amigos de Natal (RN) o casal Francisco de Assis Pereira e Sandra Borba Pereira, porque caminhamos juntos nesse exercício de viver a Doutrina Espírita, o meu agradecimento.

Ressalto a generosa contribuição do querido casal Rosenite Alves Abillama e Farid Philippe Abillama, de Natal (RN). Farid, mesmo em meio ao trabalho profissional, dispôs-se a finalizar a formatação deste livro, a quem agradeço muito.

Ao querido amigo Divaldo Franco, cuja amizade, nesses cinquenta anos de convívio, tem sido uma fonte de enriquecimento espiritual e iluminação em minha vida – com gratidão e carinho.

À minha família, que preenche os meus dias terrenos de amor e aprendizado – agradeço a Deus o privilégio de tê-los ao meu lado.

Agradeço, efusivamente, ao meu neto filósofo, Humberto Schubert Coelho, que em minhas dúvidas filosóficas aclara o meu pensamento.

Aos Benfeitores Espirituais que me fortalecem e orientam, nos cuidados amorosos de cada dia, o preito da minha gratidão e do meu amor.

A inteligência suprema

Pai Nosso...
Jesus (Mateus, 6:9)

Tudo quanto na Natureza e na Humanidade canta e celebra o amor, a beleza, a perfeição, tudo que vive e respira é mensagem de Deus.
Léon Denis [2]

DENTRE AS QUESTÕES QUE ME SÃO PROPOSTAS durante os seminários que apresento, uma se destaca em minha lembrança, pela forma como a pessoa se expressou. A pergunta veio por escrito e falava acerca do ateísmo, ressaltando que o ateu, pelo fato de não acreditar em Deus, é quase sempre apontado como uma pessoa fria, indiferente ao sofrimento alheio ou até mesmo de conduta pior; entretanto, ele pode ser uma pessoa muito digna, caridosa, honesta e

[2] Léon DENIS, *O Grande Enigma*, 1983.

que pensa no bem-estar do próximo. E arrematava dizendo que o ateu sofre de uma sensação terrível de abandono, uma dor de ser alguém solitário no Universo, em meio a todos os demais solitários e, que essa solidão é a mais pungente que se possa imaginar, acrescida pela sensação de que o Nada é o resultado dessa vida terrena. A pessoa perguntava se haveria algum argumento para auxiliar o ateu a admitir a existência de Deus.

Essa dor era para mim, até então, inconcebível, nunca me havia ocorrido algo a respeito. Ao responder citei que esse estado íntimo deve ser muito sofrido e aduzi que essa busca, por certo, poderia chegar ao término se o indivíduo refletisse na magistral resposta que os espíritos superiores trouxeram para a Humanidade, quando interrogados por Allan Kardec, em *O Livro dos Espíritos: Que é Deus?* Os espíritos responderam: *Deus é a inteligência suprema, causa primária de todas as coisas.* [3]

Esclareci que o primeiro capítulo dessa obra fornece as demais explicações para que nos seja possível compreender algo mais acerca Daquele que nos criou e a todo o Universo.

Essa é a resposta plena e total a todas as criaturas: Deus é o Criador do Universo, e este é a concretização do pensamento divino. Nós somos espíritos criados pela Inteligência Suprema, ou que nome tenha. Jesus o chamou de Pai – como

[3] Allan KARDEC, *O Livro dos Espíritos,* q. 1.

evidenciou aos discípulos, quando esses Lhe pediram que lhes ensinasse a orar, proferindo, então, a prece o Pai Nosso.

A descrença advém, não raramente, em decorrência do que é pregado, comumente, nos diversos segmentos do Cristianismo em relação a Deus, pois Ele é visto como um ser cruel, injusto, que não perdoa e, o que é ainda mais grave, é dotado de todas as paixões humanas. É uma visão antropomórfica, que projeta no Criador todas as nossas imperfeições. Mudar essa visão distorcida é fundamental para que a criatura se religue ao Criador, a fim de que possa sentir a presença divina em toda parte mas, acima de tudo, dentro de si mesmo, como Pai amoroso e justo.

O eminente biólogo americano Francis S. Collins, diretor do Projeto Genoma, argumentando acerca da existência de Deus, expressa, em seu livro *A Linguagem de Deus*:

> *Se Deus existe é sobrenatural.*
> *Se Ele é sobrenatural, não é limitado pelas leis naturais.*
> *Se não é limitado pelas leis naturais, não há motivo para que seja limitado pelo tempo.*
> *Se não é limitado pelo tempo, ele está no passado, no presente e no futuro.*

Menciona ainda, Francis Collins, a consequência dessas conclusões, quais sejam:

> *Ele poderia existir antes do Big Bang e depois que o universo sumisse, caso isso viesse a acontecer.*

Ele poderia saber o resultado exato da formação do universo mesmo antes de este ter começado.
Ele saberia de antemão se um planeta próximo das margens externas de uma galáxia espiral comum poderia ter as características certas para permitir a vida.
Ele saberia por antecipação que tal planeta levaria ao desenvolvimento de criaturas conscientes, por meio do mecanismo de evolução pela seleção natural.
Ele poderia também saber, antecipadamente, os pensamentos e as ações dessas criaturas, mesmo se estas tivessem livre-arbítrio. [4]

Essas considerações respondem parte dos argumentos contrários à ideia da existência de Deus, mas, sobretudo, respondem diretamente aos que creem que Ele existe, porém mantêm-se atrelados às concepções criacionistas, conforme registradas na Bíblia.

Léon Denis, cujo pensamento de sabedoria incomum resplandece em todos os seus escritos, em sua magistral obra *O Grande Enigma*, descortina uma visão ao mesmo tempo lógica e luminosa acerca de Deus.

Caminhemos com ele, nos domínios do pensamento transcendental:

A eterna criação, a eterna renovação dos seres e das

[4] Francis COLLINS, *A Linguagem de Deus: Um cientista apresenta evidências de que Ele existe*, p. 87-88.

coisas é tão-somente a projeção constante do pensamento divino no Universo. [...]. Não procures Deus nos templos de pedra e de mármore, ó homem que o queres conhecer, e sim no templo eterno da Natureza, no espetáculo dos mundos a percorrer o infinito, nos esplendores da vida que se expande em sua superfície, na vista dos horizontes variados: planícies, vales, montanhas e mares que a tua morada terrestre te oferece. Por toda parte, à luz brilhante do dia ou sob o manto constelado das noites, à margem dos oceanos tumultuosos, e assim na solidão das florestas, se te sabes recolher, ouvirás as vozes da Natureza e os sutis ensinamentos que murmura ao ouvido daqueles que frequentam suas solidões e estudam seus mistérios.

A Terra voga sem ruído na extensão. Nada denuncia sua marcha imponente. Silenciosa, ela passa, rola entre suas irmãs do céu. [...]. Se a Terra evolucionasse com estrondo; se o mecanismo do mundo se regulasse com fracasso, os homens, aterrorizados, curvar-se-iam e creriam. [...]. A vontade que dirige o Universo se disfarça a todos os olhares. As coisas estão dispostas de maneira que ninguém é obrigado a lhes dar crédito. Se a ordem e a harmonia do Cosmos não bastam para convencer o homem, este é livre no conjeturar. Nada constrange o cético para ir a Deus.

O mesmo acontece às coisas morais. Nossas existências

se desenrolam e os acontecimentos se sucedem sem ligação aparente; mas, a imanente justiça domina ao alto, e regula nossos destinos segundo um princípio imutável, pelo qual tudo se encadeia em uma série de causas e efeitos. Seu conjunto constitui uma harmonia que o espírito emancipado de preconceitos, iluminado por um raio da Sabedoria descobre e admira.

Que sabemos nós do Universo?

Nossa vista só percebe um conjunto restrito do império das coisas.

A sábia Natureza limitou nossas percepções e nossas sensações. É degrau a degrau que ela nos conduz ao caminho do saber. É lentamente, trecho por trecho, vidas depois de vidas, que ela nos leva ao conhecimento do Universo, seja visível, seja oculto. O ser sobe, um a um, os degraus da escadaria gigantesca que conduz a Deus [...].

E Deus está, assim, em cada um de nós, no templo vivo da consciência. É aquele o lugar sagrado, o santuário em que se encontra a divina centelha. [5]

O Universo é, pois, a consubstanciação do pensamento de Deus. O espírito André Luiz refere-se ao *plasma divino, hausto do Criador* e diz que *nesse elemento primordial, vibram e vivem constelações e sóis, mundos e seres, como*

[5] Léon DENIS, *O Grande Enigma*.

peixes no oceano. [6]

Joanna de Ângelis, espírito, expressa o amor divino de forma muito bela e elevada, em magnífico poema, que transcrevemos:

Deus Te Ama

Deus te ama
E tu percebes.
Sua ternura
te rocia a face
e Suas mãos.
te sustentam.
Seu hálito te vitaliza
e sua voz silenciosa
chega aos teus ouvidos,
com bênçãos,
com esperanças
e com orientações.
Deus te busca
e te encontra.
Agora que O sentes,
deixa-te penetrar
e conduzir
ao destino feliz
que te reserva.

[6] Francisco Cândido XAVIER, *Evolução em dois Mundos.*

Deus vive, manifesta
e dilata o Seu amor
através de ti.
Tu o sabes...
E onde tu estiveres
Ele estará sempre contigo. [7]

[7] Divaldo FRANCO, *Filhos de Deus*, p. 107.

Primeira Parte

Além da matéria

Prólogo

Ciência e espiritualidade

Em seu livro *A Linguagem de Deus: Um cientista apresenta evidências de que Ele existe*, ao expor a possibilidade da harmonia entre a perspectiva científica e a espiritual, Francis S. Collins pergunta em sua argumentação a respeito:

> *Nesta era moderna de cosmologia, evolução e genoma humano, será que ainda existe a possibilidade de uma harmonia satisfatória entre as visões de mundo científica e espiritual?*
>
> *Eu respondo com um sonoro sim!*
>
> *Em minha opinião, não há conflitos entre ser um cientista que age com severidade e uma pessoa que crê num Deus que tem interesse pessoal em cada um de nós. O domínio da ciência está em explorar a natureza. O domínio de Deus encontra-se no mundo espiritual, um campo que não é possível esquadrinhar com os instrumentos e a linguagem da ciência; deve ser examinado com o coração, com a mente e com a alma – e*

a mente deve encontrar uma forma de abarcar ambos os campos.

Meu argumento é que tais perspectivas podem coexistir em qualquer indivíduo, e de modo que enriqueça e ilumine a experiência humana.

A ciência é a única forma confiável para entender o mundo da natureza e as ferramentas científicas, quando utilizadas de maneira adequada, podem gerar profundos discernimentos na existência material. A ciência, entretanto, é incapaz de responder a questões como:

'Por que o universo existe?';

'Qual o sentido da existência humana?';

O que acontece após a morte?'.

Uma das necessidades mais fortes da humanidade é encontrar respostas para as questões mais profundas, e temos de apanhar todo o poder de ambas as perspectivas, a científica e a religiosa, para buscar a compreensão tanto daquilo que vemos como do que não vemos. [8]

[8] Francis COLLINS, *A Linguagem de Deus: Um cientista apresenta evidências de que Ele existe.*

Francis S. Collins, brilhante cientista americano, biólogo, líder do Projeto Genoma Humano Internacional, trabalha no que há de mais moderno em torno do estudo do DNA, o código da vida.

Capítulo 1

O mundo em que vivemos

Na sociedade moderna, os valores espirituais têm sido, em geral, substituídos por considerações materialistas e amplamente ignorados. Está se tornando cada vez mais evidente que a ânsia pela transcendência e a necessidade de desenvolvimento interior são aspectos básicos e normais da natureza humana. Estados místicos podem curar profundamente e ter um impacto positivo na vida da pessoa envolvida.

Stanislav Grof [9]

VIVEMOS EM UM MUNDO MATERIALISTA. (refiro-me a toda a Humanidade).

A matéria rege a vida da maioria dos seres humanos, principalmente aqui no Ocidente.

Mas, afinal, o que é o materialismo?

Inicialmente é interessante pensar um pouco a respeito

[9] Stanislav GROF, Christina GROF, *A Tempestuosa Busca do Ser.*

do materialismo no sentido filosófico. Para isso recorremos ao filósofo Humberto Schubert Coelho:

> *O materialismo é fruto de um pensamento cientificista ocidental, digo, cientificista antiquado, que toma a Física e a Matemática por base, invertendo a ordem de prioridades natural. O materialismo se sustenta em idéias organizacionais humanas, linguagem mesmo, como a Ciência, acreditando que estas linguagens explicam o homem, quando, ao contrário, enquadram-no em limites muito simplistas de compreensão.*
>
> *A crença ingênua no conhecimento humano, no critério da infalibilidade da Ciência, conduz à conclusão de que este conhecimento precede seu criador, condicionando-o.*
>
> *Aquelas idéias, produtos humanos, que se agrupam sob o nome de 'Ciência Natural', passaram ao primeiro degrau da hierarquia, acima do próprio homem, dos valores da vida, pois o homem anseia por certezas absolutas, e estes modelos teóricos lhe deram a cômoda impressão de que podia produzir respostas absolutas, de que estas respostas deveriam ser melhores do que as da Arte, da Religião, da Filosofia, embora nenhuma delas falasse sobre as mesmas coisas.*
>
> *As 'certezas' e o grau de precisão destes campos do conhecimento fascinam por demais os homens, a ponto de os fazer acreditar que todos os demais campos do*

saber humano devem ser-lhes adaptados à força. Contra essa corrente está o pensamento genial do físico e ativista Fritjof Capra, pensamento que justifica a Física através de uma visão orgânica, natural ao próprio homem, sem, no entanto, desconsiderar o aspecto lógico formal desta ciência.

São as ciências que devem se adaptar à essência do homem e não o oposto, como tem sido pregado pelas ideologias de nossos tempos. [10]

Nesse mundo imperam as necessidades materiais como se fossem o único objetivo e felicidade da vida física. Essa visão é, hoje, tão distorcida que pessoas cometem crimes no propósito de conseguir tudo o que imaginam ser objeto de prazer, de satisfação do ego, pouco se importando com os outros, se os estão prejudicando, maltratando, ferindo, matando. O consumismo voraz contagia, da criança aos idosos, e todos passam a fazer parte de uma vida tão descartável quanto um copinho de plástico.

É o que comenta o Dr. Jorge Andréa, médico psiquiatra espírita:

O homem ficou embriagado e drogado pelo materialismo. Tudo que vive, lê e realiza visa, exclusivamente, os seus próprios interesses egoísticos dentro de um apa-

[10] Humberto, COELHO, *Genealogia do Espírito.*

> *rente estado de conforto. Mas, tudo isso lhe está proporcionando dores e aflições. Praticamente, não compreende o que se passa ao seu redor. O homem, cada vez mais se empenha em realizações materiais como meta para a sua felicidade; cada vez mais possui novos objetos, mas, o que realmente acontece é que está sendo possuído pelos mesmos. Está cercado e afogando-se em suas próprias abundâncias materiais. Arma-se para defender-se e acabará destruindo-se.* [11]

O propósito fundamental é ter. Ter coisas, cada vez mais e melhores, a qualquer custo. Casas, carros, roupas de grife, enfeites, objetos disputados por todos porque são o "último grito da moda", consumidos vorazmente – entretanto, pouco depois se tornam ultrapassados, substituídos rapidamente por outra avalanche de novidades, que afinal terão o mesmo destino das coisas descartáveis e imprestáveis.

Há uma corrida constante e desenfreada contra o tempo, para que haja tempo de se usufruir desse consumismo e atender às necessidades físicas e materiais.

A ordem é aproveitar a juventude, o corpo, os bens, a vida, embora (e por isso mesmo) impermanente e fugaz.

O físico indiano, Amit Goswami, discorrendo a respeito das características do mundo ocidental, no seu livro *O Universo Autoconsciente*, afirma:

---

[11] Jorge Andréa SANTOS, *Lastro Espiritual nos Fatos Científicos.*

Em um mundo assim, necessidades espirituais passam frequentemente despercebidas, ou são sublimadas, se afloram à superfície. Se só a matéria é real, como o materialismo nos ensinou a acreditar, então posses materiais constituem o único alicerce razoável para a felicidade e a boa vida.

Claro que as religiões, os mestres espirituais e as tradições artísticas e literárias nos ensinam que isto não é verdade. Pelo contrário, pregam que o materialismo leva, na melhor das hipóteses, a uma sociedade doentia e, na pior, ao crime, à doença e a outros males.

A maioria dos ocidentais aceita essas crenças conflitantes e vive em um estado de ambivalência, participando da cultura consumista vorazmente materialista, mas, ainda assim, desprezando secretamente a si mesmos por tal atitude. Aqueles entre nós que ainda se consideram religiosos não conseguem ignorar inteiramente o fato de que, embora em palavras e pensamentos ainda cultuemos a religião, com uma frequência grande demais, o que fazemos desmente nossos propósitos: não conseguimos internalizar realmente até os ensinamentos básicos das religiões, tal como o amor ao próximo. Outros resolvem sua dissonância adotando o fundamentalismo religioso ou um cientificismo igualmente fundamentalista.

Em resumo, vivemos uma crise – não tanto uma crise de

fé, mas uma crise de confusão. Como foi que chegamos a esse deplorável estado? Quando aceitamos o materialismo como a denominada visão científica do mundo. [12]

O rumo, portanto, não tem sido o melhor para nós. Essa concepção de mundo levou-nos, realmente, a um estado perigoso de violência, de criminalidade, de corrupção, de medo, de incerteza e insegurança, de desamor.

Não se pode, porém, deixar de admitir que o mundo em que vivemos é resultado do nosso mundo interior. O começo de tudo está no íntimo do ser humano, que projeta o que pensa, e o que é ao construir a vida ao seu redor. Hábitos geram os costumes, que por sua vez geram as leis. O que aí está é fruto de nós mesmos. Civilizações que nos antecederam trazem nossa marca quando ali estivemos. Herdamos o que plantamos, o que criamos, o que construímos. Somos herdeiros de nós mesmos.

Hoje, abominamos os resultados de nossas ações pretéritas, queremos mudanças. Isto proporciona reflexões profundas visto que agora estamos melhores. De alguma forma, no ir e vir das vidas sucessivas tornamo-nos mais conscientes, aprimoramos nossa visão da existência terrena. Há uma insatisfação íntima que alavancará o progresso para rumos mais equilibrados.

[12] Amit, GOSWAMI, *O Universo Autoconsciente: Como a consciência cria o mundo matéria.*

Já existe um sentimento comum de que o panorama mundial é desalentador. Este, com certeza, não é o mundo que a grande maioria da população terrena desejaria para si e para as gerações futuras.

Inevitavelmente, constatamos que muitas barreiras nos separam uns dos outros, algumas quase intransponíveis. Preconceitos os mais diversos estão sendo mantidos a longo tempo, que vão desde o idioma, passando pela raça, pelas culturas e costumes e, até onde não deveria – pelas religiões, o que é um paradoxo terrificante.

Em alguns momentos, vendo na TV ou na internet cenas terrivelmente dolorosas, vivenciadas por pais e mães, com seus filhos nos braços, mutilados por bombas e ataques terroristas, a dor estampada no rosto de cada um, a criança morta ou ferida gravemente e em gritos que não se ouve (foram retirados previamente), mas imaginamos, isto tudo nos leva às lágrimas e um pouco daquela dor nos alcança como em um impacto – então sentimos, sabemos que somos irmãos em humanidade, simplesmente buscando ter o primeiro de todos os direitos: o de viver. Nesses momentos decisivos dessa conscientização vencemos as barreiras e nos irmanamos na mesma dor.

E surpresos perguntamos intimamente: — Onde foi que erramos? Por que chegamos a esse ponto? Não é esta a hora de mudar?

A propósito, vale citar aqui uma experiência extremamente rica vivenciada por Jung, quando de sua visita aos índios pueblos, no Novo México. Foi em uma dessas aldeias que ele teve, pela primeira vez, a oportunidade de falar com um não europeu, que era chefe dos pueblos Taos, chamava-se Ochwiay Biano – Lago das Montanhas, homem inteligente, tinha entre quarenta a cinquenta anos. Vamos dar a palavra ao próprio Jung:

> *Evidentemente, estava fechado em seu mundo da mesma forma que um europeu está fechado no dele. Mas que espécie de mundo! [...]. — Veja, dizia Biano, como os brancos têm um ar cruel. Tem lábios finos, nariz em ponta, os rostos sulcados de rugas e deformados. Os olhos têm uma expressão fixa, estão sempre buscando algo.*
>
> *O que procuram? Os brancos sempre desejam alguma coisa, estão sempre inquietos e não conhecem o repouso. Nós não sabemos o que eles querem.*
>
> *Não os compreendemos e achamos que são loucos!*
>
> *Perguntei-lhe então por que pensava que todos os brancos eram loucos. Respondeu-me: 'Eles dizem que pensam com suas cabeças'.*
>
> *— Mas naturalmente! Com o que pensa você? – perguntei admirado.*
>
> *— Nós pensamos aqui – disse ele, indicando o coração.*
>
> *Caí numa profunda reflexão. Pela primeira vez na minha vida alguém me dera uma imagem do verdadeiro*

homem branco. Era como se, até então, só tivesse visto reproduções coloridas, sentimentalmente embelezadas. Esse índio encontrara nosso ponto vulnerável e pusera o dedo naquilo em que somos cegos. [...]. Era o bastante. Aquilo a que damos o nome de civilização, missão junto aos pagãos, expansão da civilização, etc. tem uma outra face, a de uma ave de rapina cruelmente tensa, espreitando a próxima vítima, face digna de uma raça de larápios e de piratas. Todas as águias e outros animais rapaces que ornam nossos escudos heráldicos me parecem os representantes psicológicos apropriados de nossa verdadeira natureza. [13]

Como consertar o mundo? Há jeito? Há tempo? Que resposta a vida nos dá?

Imprescindível fazer aqui algumas reflexões a fim de termos as respostas de que necessitamos e que sejam coerentes, e que não entrem pelo campo do misterioso, nem de simbolismos ou metáforas, porque agora, hoje, necessitamos conhecer nossa realidade terrestre.

Para entender melhor o que é o nosso planeta e a Humanidade que o habita, não podemos deixar de recorrer às explicações que o Espiritismo nos transmite, por serem absolutamente lógicas; entretanto cada um é livre de aceitá-las ou não. É assim que nada é imposto e, sim, raciocinado, nos

[13] Aniela, JAFFÉ, (Compilação), *Memórias, Sonhos, Reflexões*, p. 219.

ensinamentos espíritas. É a fé raciocinada, conforme enfatiza Allan Kardec. Primeiramente, importa considerar que não é em decorrência de pesquisas muito avançadas, possibilitadas pelo progresso das ciências que as criaturas se tornam materialistas, mas sim em razão do orgulho e da vaidade. As conquistas nos diversos campos do conhecimento levam o homem a supor que é maior que tudo, detendo nas mãos, cada vez mais, a melhoria das condições da vida terrena, embora não tenha poder para criar a vida humana no laboratório.

Em *O Livro dos Espíritos* o materialismo é abordado por Kardec, nas questões 147 e 148, colocando ele próprio extenso comentário a respeito das consequências do materialismo.[14]

O tema também é abordado no livro *Diálogo dos Vivos*, psicografado por Chico Xavier, e traz uma mensagem de Emmanuel, intitulada "Materialismo e atualidade", analisada pelo filósofo e escritor Herculano Pires que se apresenta com o pseudônimo de Irmão Saulo. Em seu comentário, que tem o título de "Hora de fé", Herculano Pires enfoca o materialismo de maneira clara e oportuna, que muito nos interessa:

> *É tolice dizer que o desenvolvimento atual das ciências favorece o materialismo. O próprio Einstein afirmou, bem antes desses avanços mais recentes: 'O materialismo morreu por falta de matéria'. Quem opta pelo*

[14] Allan, KARDEC, O *Livro dos Espíritos.*

materialismo, nesta altura da evolução científica, revela falta de senso ou distúrbio do raciocínio. Seria o mesmo que Tomé dizer a Jesus ressuscitado: 'Se toco as tuas chagas é porque não morreste'. [15]

Devemos partir da noção de que nossa morada terrestre é um mundo atrasado, um mundo inferior na escala do progresso. Isto porque a Humanidade que o habita está nesse patamar; somos espíritos ainda longe da perfeição, embora esta seja a meta que um dia alcançaremos; por enquanto, é inegável – porque está diante de nós (e em nós) essa realidade – estamos em processo de provas e expiações.

Mas, nada é mais esclarecedor do que o fragmento textual que a seguir transcrevo, e que se encontra em *O Evangelho Segundo o Espiritismo* (este termo "**segundo**" significa "**interpretado pelo Espiritismo**").

O progresso é lei da Natureza. A essa lei todos os seres da Criação, animados e inanimados, foram submetidos pela bondade de Deus, que quer que tudo se engrandeça e prospere. A própria destruição, que aos homens parece o termo final de todas as coisas, é apenas um meio de se chegar, pela transformação, a um estado mais perfeito, visto que tudo morre para renascer e nada sofre o aniquilamento.

[15] Francisco Cândido XAVIER, *Diálogo dos Vivos*.

Ao mesmo tempo que todos os seres vivos progridem moralmente, progridem materialmente os mundos em que eles habitam. Quem pudesse acompanhar um mundo em suas diferentes fases, desde o instante em que se aglomeraram os primeiros átomos destinados a constituí-lo, vê-lo-ia a percorrer uma escala incessantemente progressiva, mas de degraus imperceptíveis para cada geração, e a oferecer aos seus habitantes uma morada cada vez mais agradável, à medida que eles próprios avançam na senda do progresso. Marcham assim, paralelamente, o progresso do homem, o dos animais, seus auxiliares, o dos vegetais e o da habitação, porquanto nada em a Natureza permanece estacionário. Quão grandiosa é essa ideia e digna da majestade do Criador! Quanto, ao contrário, é mesquinha e indigna do seu poder a que concentra a sua solicitude e a sua providência no imperceptível grão de areia, que é a Terra, e restringe a Humanidade aos poucos homens que a habitam! [16]

[16] Allan KARDEC, *O Evangelho Segundo o Espiritismo*, cap. III. Trecho de mensagem do espírito Santo Agostinho, psicografada em Paris, no ano de 1862, por uma das médiuns que colaboraram com Allan Kardec. Essas médiuns eram muito jovens e as reuniões, em sua maioria, eram realizadas nos primeiros tempos nos lares, posteriormente na Sociedade Parisiense de Estudos Espíritas.

Capítulo 2

Uma nova maneira de pensar

A exploração dos limites mais distantes da natureza humana e de suas mais elevadas possibilidades [...] exigiu, no meu caso, a contínua destruição dos mais caros axiomas, a labuta constante com aparentes paradoxos, contradições e incertezas e o colapso ocasional das leis da psicologia há muito estabelecidas, amplamente acreditadas e aparentemente inatacáveis bem à frente de meus olhos.

Abraham Maslow [17]

O MUNDO ESTÁ MUDANDO continuadamente. O determinismo do progresso empurra as civilizações para conquistas sempre maiores, embora nem sempre sejam melhores.

---

[17] Abraham MASLOW apud Roger WALSH; Frances VAUGHAN, *Caminhos Além do Ego*, II Parte, seção cinco.
Abraham Maslow, Ph.D., considerado o pai filosófico da psicologia humanista e transpessoal.

Se observarmos a linha do tempo, nela sobressaindo-se as conquistas humanas positivas, benéficas, vamos encontrar um processo contínuo em que cada uma dessas pessoas impulsionadoras do progresso abrem caminho para outras que vão chegando, e estas retomam as conquistas alcançadas e acrescentam, e avançam, desdobram, prosseguem, surgem novas ideias e resultados decorrentes das ideias iniciais, que propiciam novas descobertas, e assim sucessivamente, sem que haja interrupções e paradas. Isto me lembrou a corrida da tocha olímpica, quando há alguns anos assisti a uma "aula" de um amigo, o médico Cleber Mauricio Gonçalves, profundo estudioso do Espiritismo.

Ele explanava sobre o tema vitalismo e energia vital, ou fluido vital, para um grupo de amigos, remontando as primeiras ideias a respeito da questão enfocada e os vultos que se sobressaíram nas pesquisas, com as respectivas datas.

Nesse momento precioso tive a nítida impressão de presenciar uma verdadeira corrida da tocha olímpica em que cada atleta passa para outro a tocha acesa para que não se apague e, ali, diante de nós, observávamos a tocha do conhecimento, passando de geração a geração, através de mentes capacitadas a abrirem caminho para o enriquecimento da Humanidade em todos os campos possíveis. A tocha da verdade permanece acesa, em todas as épocas, pois sempre estão em seus devidos lugares os "atletas" do conhecimento, levando-a para frente, "ad eternum".

Inúmeras são as conquistas humanas no que tange às realizações materiais, científicas, tecnológicas, astronômicas; anuncia-se também diversificadas pesquisas, bem sucedidas, no campo da mente, denotando o interesse dos estudiosos empenhados em melhorar nossa qualidade de vida.

Oportuno assinalar, por exemplo, as mais recentes pesquisas realizadas por neurocientistas, trazendo valiosas informações a respeito dos neurônios. Durante um século a crença predominante era a de que, perante uma lesão cerebral ou no processo de envelhecimento, os neurônios não tinham condições de se regenerar, o que levaria à deteriorização das funções normais da mente. Felizmente outra é a informação atual, pois foram descobertos casos que derrubaram a convicção até então mantida.

Assinala o Dr. Dean Radin em seu livro *Mentes Interligadas: Evidências científicas de telepatia, de clarividência e de outros fenômenos psíquicos*, que:

> *[...] os neurônios, de fato se regeneram.*
>
> *A plasticidade do cérebro é muito maior do que era estimado, lançando uma nova luz sobre observações anteriores que haviam sido ignoradas porque não pareciam fazer sentido. Em um estudo de caso, relatado em 1980 pela revista* Science*, durante um exame de rotina para diagnosticar uma pequena condição médica, descobriu-se que um estudante da Universidade de Sheffield, na Grã-Bretanha, virtualmente não tinha*

cérebro, mas isso não o impediu de manifestar um quociente de inteligência de 126 e de se graduar com louvores em matemática. [18]

Em nota explicativa Radin esclarece que o córtex do estudante havia sido comprimido até uma espessura de menos de um milímetro em razão da hidrocefalia.

O que ocorre é que todos nós perdemos cerca de 18 milhões de neurônios a cada ano, entretanto, essa perda é compensada por outra estrutura, as dendrites, que são filamentos cerebrais, que ligam as células nervosas umas às outras, cuja forma lembra ramos, (daí sua denominação, pois dendrites é um vocábulo que provém do grego e significa árvore).

Essas ligações são denominadas axônios e servem de pontos de contato para que um neurônio se comunique com seus vizinhos.

Por sua vez, o Dr. Deepak Chopra, em sua obra *A Cura Quântica*, explicando a respeito do assunto, faz uma interessante comparação ao dizer que com o crescimento de novas dendrites um neurônio pode abrir mais canais de comunicações em todas as direções, como um painel telefônico distribuindo novas linhas. Passemos a palavra a ele para maiores detalhes:

Não sabemos como um pensamento é realmente formado entre as células cerebrais ou como se inter-relaciona

[18] Dean RADIN, *Mentes Interligadas: Evidências científicas da telepatia, da clarividência e de outros fenômenos psíquicos.*

esse vastíssimo número de ligações com milhões de dendrites se unindo em certos pontos principais do corpo, como o plexo solar, sem falar dos bilhões e bilhões do próprio cérebro. Contudo, experiências demonstraram que novas dendrites podem se formar durante a vida toda, até a idade avançada. A opinião geral é de que esse novo crescimento nos proporciona a estrutura física para que a função cerebral não diminua. A senilidade não é fisicamente normal em um cérebro saudável. Uma rica multiplicação de dendrites pode até ser a causa oculta da sabedoria crescente na velhice, uma época em que a vida é cada vez mais encarada em sua totalidade, em outras palavras, fica mais interligada, assim como as células nervosas se interligam através de novas dendrites. [19]

Descobertas notáveis no campo da Física se sobressaem na atualidade. Paradigmas obsoletos estão ruindo e, lentamente, instala-se uma nova concepção de mundo e da vida.

A Física, até então submetida ao paradigma cartesiano, que postula que tudo é matéria, sendo o Universo um gigantesco mecanismo regido por leis igualmente mecânicas e, neste contexto, inserem-se os seres humanos que, embora inteligentes e pensantes, possuidores de sentimentos e emoções têm no cérebro físico – portanto, material – a sede

[19] Deepak CHOPRA, *A Cura Quântica.*

de todos os seus atributos, a Física, repito, vê-se forçada a admitir que todas as certezas que tão convictamente eram aceitas e mantidas como irrevogáveis estão se desmoronando, a partir de pressões exercidas por outras evidências e conquistas, como por exemplo, a psicologia transpessoal e, mais recentemente, a descoberta da física quântica.

Há um inconformismo subjacente na aparente tranquilidade das criaturas. É como um clamor surdo, vindo das entranhas, que extravasa a imprescindível necessidade de encontrar respostas, de mudar o rumo da vida de forma global para garantia de um futuro de paz, que afinal, todos anseiam.

Vozes inúmeras são arautos da proposta de mudança; Jung é um deles.

Relendo *Memórias, Sonhos, Reflexões*, de Carl Gustav Jung, compilação de Aniela Jaffé, fica muito clara essa busca de algo maior, melhor, mais profundo, a que ele se dedicou durante toda sua vida.

Decorrente dessa leitura tratei de reler também uma outra obra, esta de Anthony Stevens – *Jung, Vida e Pensamento.*

Stevens menciona em vários segmentos de sua obra essa contínua procura que norteou a vida de Jung. A certa altura ele afirma:

> *Foi com o intuito de não se tornar 'vitima da rigidez doutrinária' que ele (Jung) conservou a mente aberta a todas as coisas, de modo especial às que escandalizavam os psicólogos científicos. Ele sabia que havia mais coisas*

no céu e sobre a terra do que os filósofos sonhavam. Se ele abandonou o teste de associação de palavras e se voltou para a mitologia, a alquimia e a religião, foi porque as mesmas continham verdades psicológicas ignoradas pelos cientistas. Para Jung, a psicologia representava um campo fascinante de fronteiras sem limites, entre a biologia e o espírito, o corpo e a mente, o consciente e o inconsciente, o individual e o coletivo. A psicologia abrangia a vida no seu todo – o racional e o irracional, o explicável e o inexplicável: daí a sua disposição de dar uma atenção especial aos fenômenos da parapsicologia, do espiritismo, da pré-cognição, da astrologia, da vida após a morte, da sincronicidade, dos OVNIS, da fragmentação espontânea de mesas e talheres, e assim por diante. O fato de ele ser ridicularizado por causa dessas suas preferências não o perturbava muito. Para ele, a solidão e a incompreensão dos críticos eram coisas normais da vida. De qualquer forma, muitos o criticavam sem se darem ao trabalho de ler o que escrevia. [20]

Outra importante contribuição nesse sentido, que não posso deixar de mencionar é a do físico Fritjof Capra, a partir do lançamento de seu primeiro livro *O Tao da Física – Um paralelo entre a física moderna e o misticismo oriental*, no ano de 1975, hoje com mais de um milhão de exemplares

[20] Anthony STEVENS, *Jung, Vida e Pensamento.*

vendidos em todo o mundo. Segundo o autor, o livro apresenta "aspectos filosóficos da Física" e os pontos de contato com as filosofias religiosas do Oriente. Refere que *[...] o misticismo oriental fornece uma bela e consistente moldura filosófica capaz de abranger nossas mais avançadas teorias acerca do mundo físico.*

Analisando o sucesso dessa obra, quinze anos depois, Capra afirma que:

> *[...] o reconhecimento das semelhanças entre a física moderna e o misticismo oriental, faz parte de um movimento muito maior, de uma mudança fundamental de visões de mundo ou paradigma, na ciência e na sociedade, que agora estão se manifestando por toda a Europa e a América do Norte, e que implicam uma profunda transformação cultural. Esta transformação, esta mudança de consciência, é o que tantas pessoas sentiram intuitivamente nas duas últimas duas ou três décadas, e é por isso que o Tao da Física tangeu uma corda tão sensível.* [21]

Nos últimos tempos, o misticismo que permeia a Civilização Oriental, cuja sabedoria univérsica tem atraído a atenção do Ocidente, motivou muitos pesquisadores, abertos a novos paradigmas e a propostas de mudança realmente a

[21] Fritjof CAPRA, *O Tao da Física: Um paralelo entre a física moderna e o misticismo oriental.*

se interessassem em estabelecer uma ponte interligando as duas culturas, sobressaindo-se o físico Fritjof Capra e que a ele se uniram vários autores de sucesso.

Explanando a respeito da contribuição dos místicos, em seu livro *Mentes Interligadas*, o Dr. Dean Radin, por exemplo, observa que estes, embora apresentando fatos corretos *tendem a se manifestar na forma de metáforas não testáveis*. Por enquanto, prossegue Dr. Radin, os "científicos" não tiveram resultados muito melhores, mas ele acredita que isso irá mudar em pouco tempo. (destaque do autor).

Mais adiante, na mesma obra citada, o autor transcreve a metáfora da consciência cósmica idealizada por William James, renomado psicólogo da Universidade de Harvard, em 1909, e a expressa de maneira muito interessante, sendo oportuno registrá-la:

> *Nós e nossas vidas somos como ilhas no mar ou como árvores em uma floresta. Os bordos e pinheiros podem sussurrar um para o outro com suas folhas, enquanto Conenicut e Newport (ilhas próximas à linha costeira da Nova Inglaterra) podem escutar as sirenes uma da outra quando tocam. Mas as árvores também entrelaçam suas raízes na escuridão do subsolo e todas as ilhas estão interligadas pelo fundo do oceano, de modo que existe um contínuo de consciência cósmica, contra o qual nossa individualidade constrói apenas cercas ocidentais e no qual nossas diversas mentes mergulham*

como se fosse um reservatório comum ou um mar que é mãe de todos nós.

Nossa consciência 'normal' se acha circunscrita por sua adaptação ao nosso ambiente terrestre externo, mas a cerca tem pontos mais fracos e influências ocasionais do além se derramam para dentro, demonstrando conexões comuns que, de outro modo, não são verificáveis. Não apenas as pesquisas psíquicas, mas a filosofia metafísica e a biologia especulativa são conduzidas, cada uma à sua maneira, para observar com favor algum ponto de vista 'pan-psíquico' do Universo semelhante a este.

Presumindo-se a existência deste reservatório de consciência comum, este banco de que todos podemos sacar, [...] as questões que nos aparecem são: Qual é sua própria estrutura? Qual é a sua topografia interna? Existem formas mais sutis de matéria que, ocasionalmente, podem entrar em conexão funcional com as individuações do mar psíquico e então e somente então se revelar?

Desse modo, nossa experiência humana, tanto em seu aspecto material como mental, pareceria ser apenas um extrato de um mundo psicofísico bem maior? [22]

Segundo Radin, a metáfora da consciência cósmica de

[22] Dean RADIN, *Mentes Interligadas: Evidências científicas da telepatia, da clarividência e de outros fenômenos psíquicos.*

James [...] *ecoou através das eras, desde conceitos ancestrais como os registros da 'Biblioteca Akáshica' do misticismo hindu, do 'inconsciente coletivo' do psiquiatra Carl Jung até os 'campos morfogenéticos' do biólogo Rupert Sheldrake.*

Capra, em seu segundo livro, *O Ponto de Mutação*, apresenta as implicações sociais da atual mudança de paradigmas. Reportando aos principais problemas da atualidade relaciona-os e conclui:

> *A crescente ameaça de guerra nuclear, a devastação de nosso meio ambiente natural, nossa incapacidade de lidar com a pobreza e a fome no mundo, para citar apenas os mais urgentes – são todos eles facetas diferentes de uma única crise, que é essencialmente uma crise de percepção. Esta resulta do fato de que a maioria de nós – especialmente as nossas grandes instituições sociais – adere aos conceitos e aos valores de uma visão de mundo obsoleta, a um paradigma que é inadequado para lidar com os problemas de nosso mundo superpovoado e globalmente interconectado. Ao mesmo tempo, pesquisadores que se encontram na linha de frente da ciência, vários movimentos sociais e numerosas redes alternativas estão desenvolvendo uma nova visão da realidade que formará a base das tecnologias, sistemas econômicos e instituições sociais do futuro.* [23]

[23] Fritjof CAPRA, apud Dean RADIN no posfácio da terceira edição do *Tao da Física*, quando aborda a questão "O Futuro da Nova Física".

Prezados leitores, tudo o que acabamos de expor evidencia essa nova maneira de pensar, os novos anseios da maioria da Humanidade, que busca ansiosamente por essa mudança, que é fundamental para a abertura de um novo tempo, de uma mentalidade alicerçada na Espiritualidade do ser humano, condição primordial e imprescindível para sedimentar o futuro que todos almejamos, de paz e solidariedade entre todos os povos.

Inferimos, pois, que essa mudança evidencia um movimento superior, que vem dos propósitos maiores da alta Espiritualidade, presidida por Jesus, a fim de que a Humanidade descarte, de uma vez por todas, a ideia de que o Universo é uma gigantesca máquina (compreendendo-se igualmente os seres humanos), regida por leis mecânicas. Os paradoxos e inumeráveis pontos duvidosos de estarem inseridos os seres pensantes neste contexto de um mecanismo primordial, destituído de inteligência e de qualquer sentimento e emoção, desacredita cada vez mais esse paradigma.

Um novo tempo está se descortinando para todos nós, um horizonte infinito de possibilidades além da matéria, para o campo feliz da imortalidade, que existe e que é nossa.

Somos imortais e prosseguiremos na escalada evolutiva, determinismo divino para a felicidade.

Essa é a lei maior, de justiça, de amor e de caridade.

Capítulo 3

As pedras falarão

Digo-vos se estes (os discípulos) calarem, as próprias pedras clamarão.
Jesus, Lc 19:40

As pedras estão falando por toda parte. Contam sua história e comprovam a criação divina. Suas entranhas, agora desveladas, evidenciam as eras do nosso planeta. Um fragmento de meteorito relata sua procedência e sua constituição. Minúsculo pedaço retirado de uma rocha da lua, por astronautas que ali estiveram ou capturado por sondas espaciais, traz "impresso" o seu código existencial.

Mas, não somente as pedras. Também os estilhaços de uma aeronave que explodiu no ar ou mergulhou no oceano revelam como se deu a tragédia. Sabe-se até mesmo, no rescaldo de um incêndio que a tudo destruiu as causas que o motivaram por meio de evidências em meio às cinzas. E por extraordinário que pareça, falam igualmente os esqueletos, os ossos que há milênios constituíram e sustentaram um corpo humano ou um animal que existiu em um período remoto, fossilizados à espera de um futuro arqueólogo, para descobrir que existiram e como viviam.

Interessante pensar em como deixaram a sua marca cada um desses espécimes, cada um dos fragmentos encontrados.

Esqueletos inteiros ou ossadas esparsas relatam histórias das civilizações. Falam, por exemplo, esses ossos, dos esplendores da civilização dos faraós, silenciosos apenas na aparência, sepultados em pirâmides colossais. Igualmente falam essas construções notáveis, que até hoje desafiam os engenheiros e arquitetos modernos a entenderem suas palavras.

Prevendo que isto aconteceria, Hermes Trismegisto profetizou: *Ó Egito! Ó Egito! Não se conservarão de ti senão fábulas, incríveis para as gerações futuras, e de ti unicamente perdurarão as palavras talhadas em pedras.* [24]

Tudo fala ao ser humano, que aprendeu por meio de fantástica tecnologia, "a ouvir e a ler" o que dizem os menores fragmentos que a natureza, ou a própria criatura colocam ao seu alcance.

---

[24] Edouard SHURÉ, *Os Grandes Iniciados: Hermes.*
Hermes – É o primeiro e grande iniciador do Egito. Hermes é considerado a divindade egípcia Thot, símbolo da Sabedoria. O filósofo Platão diz que Thot foi o criador dos números, da geometria, da astronomia e das letras. Na Grécia é conhecido como Hermes Trismegisto, que significa três vezes grande.

Hoje se sabe que determinada rocha, ou uma pedra de qualquer tamanho, em certa região, a ela não pertence, mas sim que veio do mar ou que se desprendeu de uma montanha quando de forte abalo sísmico, empurrada no turbilhão de um maremoto ou erupção vulcânica, há dezenas ou milhares de quilômetros de distância.

É possível, igualmente, conhecer a idade de um terreno pela coloração de suas diversas camadas, ou de uma árvore pelo seu tronco.

Essas são conquistas que pareciam inconcebíveis.

Mas, depois de tantos avanços, por que demora o ser humano a reconhecer os sinais que existem em todo o Universo e que nos falam da existência do Criador?

Vaidade? Presunção? O que prende e impede o homem e a mulher de nosso tempo a admitir a maior verdade que a Humanidade necessita tomar conhecimento?

Por que fechar os olhos e os ouvidos ao que fala e ao que mostra a todos nós, o Universo?

Sinais e evidências estão esparsas no micro e no macrocosmo e estampam a assinatura do Criador.

Se as rochas e os fósseis narram as eras da Terra, por que negar que tudo o mais, desde os átomos, as bactérias ou as células, o nosso planeta, até as galáxias e as estrelas de maior magnitude demonstram e evidenciam a existência de Deus?

Léon Denis apresenta uma visão magnífica da linguagem de Deus:

Deus nos fala por todas as vozes do Infinito. E fala não em uma Bíblia escrita há séculos, mas em uma bíblia que se escreve todos os dias, com esses característicos majestosos, que se chamam oceanos, montanhas e astros do céu; por todas as harmonias, doces e graves, que sobem do imo da Terra ou descem dos espaços etéreos. Fala ainda no santuário do ser; nas horas de silêncio e de meditação. Quando os ruídos discordantes da vida material se calam, então a voz interior, a grande voz desperta e se faz ouvir. Essa voz sai da profundeza da consciência e nos fala dos deveres, do progresso, da ascensão da criatura. Há em nós uma espécie de retiro íntimo, uma fonte profunda de onde podem jorrar ondas de vida, de amor, de virtude, de luz. Ali se manifesta esse reflexo, esse germe divino, escondido em toda alma humana. [25]

Não seria esta a holografia [26] divina em que partes re-

---

[25] Léon DENIS. *O Grande Enigma.*

[26] Holografia – Segundo o *Dicionário Aurélio*: forma de se registrar ou apresentar imagens em três dimensões. Do grego *Holos:* todo, inteiro; e *Graphos*: sinal, escrita, pois é um método de registro 'integral' com profundidade. O holograma possui uma característica única: em apenas um pedaço existem informações sobre toda a imagem registrada a partir de um determinado ângulo. Esse conceito de registro 'total' foi utilizado em outras áreas, como na neurologia, neurofisiologia e neuropsicologia para explicar como o cérebro armazena as informações ou como nossa memória funciona. Esses dados estão grafados em: Hermínio C. Miranda, *Memória Cósmica*, p. 81.

velam o todo universal e, acima de tudo, de certa maneira, "revelam" o Criador?

Nesse ponto não posso deixar de registrar uma ideia de Hermínio Miranda, em minha opinião, belíssima e profunda; ele fala a respeito da holografia:

> *Vale acrescentar ainda que essa descoberta revolucionária (da holografia) foi preconizada há milênios pela filosofia orientalista, ao ensinar que o infinitamente grande está presente no infinitamente pequeno. Ou seja, o universo todo, nós inclusive, somos hologramas. Todas as nossas células contêm a programação do que somos fisicamente. E talvez até espiritualmente, no dia em que a ciência quiser e puder revelar-nos que a contraparte espiritual do ser humano também é um holograma. Em outras palavras, ainda que se considere absurda tal realidade, estamos todos incluídos no universo; tanto quanto o universo como um todo está representado na mais diminuta partícula que nos constitua. [...] seríamos nós hologramas de Deus?* [27]

[27] Hermínio C. MIRANDA, *Memória Cósmica*, p. 110.

Capítulo 4

O poder do pensamento

Sendo energia, a mente pode ser concentrada do mesmo modo como um raio laser pode concentrar energia luminosa.

Jack Kornfield [28]

O PENSAMENTO É FORÇA CRIADORA.

Tudo o que o ser humano construiu e realizou, desde o princípio de sua jornada terrena, existiu primeiro no pensamento. Esse potencial criador impulsionou e impulsiona o progresso. Nasce da necessidade de transformar o pensamento em algo concreto que influencie e melhore a qualidade de vida e traga bem-estar.

Não há muito tempo pesquisadores desse campo fabuloso que é a mente, passaram a se dedicar ao estudo do pen-

[28] Roger WALSH; Frances VAUGHAN, *Além do Ego: Dimensões transpessoais em psicologia*, cap. 1ª parte, seção II de Jack Kornfield : "Os sete fatores da iluminação".

samento, e quanto mais se aprofundam mais reconhecem a complexidade do tema.

Somos seres pensantes.

A antiga frase: "Homem, és pó e ao pó retornarás", confronta-se com a visão bela e edificante da questão 76 de *O Livro dos Espíritos*, que ensina: *Os Espíritos são os seres inteligentes da Criação. Povoam o Universo, fora do mundo material.* [29]

A lógica desse ensinamento alarga os horizontes da nossa mente. Não mais paredes, nem fronteiras estreitas e delimitadas. Ruíram as ideias bolorentas e ultrapassadas. Ninguém mais aceita sem questionar as noções de uma vida limitada, estreita, sem um propósito maior e mais elevado. Aceitar essa acanhada visão de mundo é fechar a mente ao entendimento da justiça divina e ao amor de Deus em relação aos Seus filhos.

Pensar é um dos maiores atributos do ser humano. Contudo, foram necessários milênios para que despertássemos e nos tornássemos conscientes da importância vital do pensamento em nossas vidas.

Isto abre um panorama ilimitado às cogitações humanas.

Sendo produto da mente, o ato de pensar não é, todavia, uma secreção do cérebro, originado dos implementos

---

[29] Allan KARDEC, *O Livro dos Espíritos.*

cerebrais, mas sim uma "emanação do Espírito" – conforme expressa a mentora Joanna de Ângelis [30], lançando luz sobre a visão reducionista que tudo atribui à matéria – ensejando assim sofisticados processos mentais, como a razão, o discernimento, o raciocínio lógico, a capacidade de apreensão, a memória e todo esse avançadíssimo potencial que nos é próprio, que culmina na consciência.

Todo esse cabedal pertence, pois, ao espírito imortal. Cessada a vida física a alma permanece com todas as potencialidades que lhe são inerentes. O cérebro material se desfaz, na lei natural que a morte enseja. Em pouco tempo nada mais resta da veste corporal, porém, pairando acima dessa prossegue o espírito a sua trajetória evolutiva através das eras.

Esta sim é uma ideia riquíssima, que preenche de esperança e, mais que isto, de certeza, a alma humana.

Há uma Ciência do Infinito aguardando nosso interesse e entendimento e nos convidando a pensar de forma majestosa, profundamente bela. Você que me lê, pense nisto. Dê uma chance à sua mente de se projetar ao infinito.

A esse respeito observemos o que elucida Lama Anagarika Govinda, muito sabiamente:

A mente humana não pode se deter em nenhum ponto de seu caminho na direção do conhecimento. Imobili-

[30] Divaldo FRANCO, *Em Busca da Verdade*.
Citado pela autora espiritual, Emanação: Segundo o *Dicionário Aurélio* – proveniência, origem. Emanação de energia.

> *dade significa morte, rigidez e decadência. Essa é a lei de toda vida e de toda consciência. É a lei do espírito, da qual a vida e a consciência fluem.*
>
> *Assim como no pensamento matemático cada dimensão necessariamente exige uma outra dimensão, superior à primeira, até chegarmos à conclusão inevitável de que deve haver uma série infinita de dimensões – assim também cada nova expansão de nosso horizonte espiritual sugere novas e insuspeitadas dimensões de consciência.*
>
> *A verdade é que cada experiência aponta para além de si mesma e não pode, portanto, ser definida ou limitada como algo que existe em si mesmo, mas apenas em relação a outras experiências...* [31]

O pensamento chega, assim, aos confins do Universo.

Os confins do pensamento... Não é como um painel imenso que se abre para descortinarmos a Ciência do Infinito?

Embora essa alegação desperte em nós uma sensação algo poética, ela sintetiza o que de mais moderno há nos avanços da física. A lei de vibração e a ideia de que todo o cosmo está conectado remontam às tradições mais antigas,

---

[31] Anagarika Govinda Lama nasceu na Alemanha em 1898. Seu interesse pelo budismo o levou à Índia onde se tornou Membro da Ordem Budista Tibetana. Viveu nos contrafortes das montanhas do Himalaia. Capítulo de sua autoria: "O êxtase da ruptura na experiência da meditação", extraído do livro *O Mais Elevado Estado da Consciência.* Org. por John White.

tais quais: o hermetismo egípcio, o hinduísmo e a filosofia chinesa. Também as tradições ocidentais, incluindo a cristã, foram prolíficas em modelos teóricos e conceituais que atestassem a interligação absoluta de tudo, dividindo-se os seres somente pelo seu grau vibratório, com sua proporcional capacidade de ação.

Na teologia cristã, por exemplo, surgiram conclusões de que, tudo sendo obra de Deus, cada criatura seria uma partícula divina, espelhando todo o Universo. E mais recentemente, com a descoberta de que a matéria não existe, constituindo meramente padrão de frequência energética, justificaram-se ainda mais as teorias de que tudo está em tudo.

É oportuno ressaltar aqui, que antes da literatura terrena alardear a "grande descoberta" da associação entre a física quântica e a Espiritualidade, o espírito André Luiz já havia exposto em seu livro, *Mecanismos da Mediunidade* [32], toda essa correlação. Inclusive, enfocando nessa obra (psicografada em 1959 e lançada em 1960) os mais recentes avanços da física quântica, a partir das pesquisas de Einstein, de Planck e Bohr, evidenciando a importância dessas pesquisas que ultrapassavam o panorama das questões ligadas à matéria e adentravam aos domínios da esfera espiritual.

É incontestável que André Luiz, atento "repórter do mundo espiritual", se apresta a ressaltar a nova visão propi-

[32] Francisco Cândido XAVIER, *Mecanismos da Mediunidade.*

ciada pela física quântica correlacionando-a com o mundo espiritual vivo e pulsante, até então, tido pela ciência e pela maioria dos cientistas como mera fantasia.

Essa é a nova consciência que, aos poucos, emerge e enseja vida nova e estuante, favorecendo estados mentais cada vez melhores e saudáveis.

Somos o que pensamos. Nossos pensamentos expressam nossa consciência e tudo o que cultivamos como preferências, tendências, aptidões e, em decorrência, a leitura que fazemos da vida, o sentido que damos, conforme nosso livre-arbítrio.

O poder do pensamento é de tal ordem que sua velocidade supera a da luz. Recordemos que a velocidade da luz é de trezentos mil quilômetros por segundo! E o pensamento é mais veloz que a luz! Por isso é que se diz: Quando você pensa em alguém já está lá; você se transporta em pensamento e quanto mais firme e constante ele for pode chegar a ser captado pela outra pessoa. Isso nada tem de incrível, é apenas um processo natural, que faz parte das leis que regem o Universo.

Acrescenta Joanna de Ângelis, ampliando o nosso entendimento:

> *À semelhança da luz que se propaga, ora como onda, ora como corpúsculo, o pensamento, com a sua velocidade e constituição equivalente, irradia-se da usina mental, e, por identificação vibratória, alcança os cas-*

tclos celulares, que se preservam ou se desestruturam, de acordo com a potência da energia que conduz. [33]

Swami Sivananda nos traz a sabedoria oriental a esse respeito:

Cada mudança de pensamento é acompanhada pela vibração da matéria mental, necessária para o pensamento funcionar como força. Todo pensamento possui peso, forma, tamanho, estrutura, qualidade e poder. O poder do pensamento é maior do que a eletricidade. A todo pensamento corresponde uma imagem mental. [34]

A nossa capacidade mental é fantástica, expressando o espírito a comandar, por meio do cérebro, todas as ações que o corpo físico realiza.

O pensamento é energia, cujo potencial é ainda pouco conhecido e utilizado. No momento em que a mente elabora o pensamento esse é neutro, o que o tipifica são as emoções. O teor dos nossos pensamentos expressa nossos desejos.

O poder criador e aglutinante do pensamento é extraordinário e importa compreender, conforme explica o mentor espiritual, André Luiz, que *emitido por nós volta inevitavelmente a nós mesmos, compelindo-nos a viver, de*

[33] Divaldo P. FRANCO, *Jesus e Vida.*

[34] Swami SIVANANDA, *Concentração e Meditação.*

O autor nasceu em 08 de setembro de 1887, em Pattamadai, Sul da Índia. Morreu em 14 de julho de 1963. Médico.

maneira espontânea, em sua onda de formas criadoras, que naturalmente se nos fixam no espírito quando alimentadas pelo combustível de nosso desejo ou de nossa atenção. [35]

[35] Francisco Cândido XAVIER, *Ação e Reação.*

Capítulo 5

Estamos conectados com o Universo

Do ponto de vista cultural, vivemos num oceano de mensagens filosóficas. Toda sociedade contém uma rede de valores, crenças e suposições, das quais nem todas são denominadas explicitamente, mas que, não obstante, fazem parte do ambiente humano – 'o mar' em que nadamos.
Natanael Branden [36]

ATRAVÉS DAS ERAS AS EXPERIÊNCIAS MÍSTICAS, psíquicas e religiosas sugerem que existe uma ligação mental entre os seres humanos, vivos ou mortos, consideradas, como sabemos, pela ciência clássica como algo fantasioso, advindo da ignorância ou, até mesmo, de patologias mentais. Essa ideia ainda persiste na atualidade, em alguns segmentos científicos, muito embora o grande progresso alcançado.

Contudo, como citamos, o mundo está mudando.

---

[36] Natanael BRANDEN, *Autoestima, Liberdade e Responsabilidade.*

Os fatos demonstram, evidenciam isso. Inúmeras perguntas acorrem à mente diante desses fatos antes considerados insólitos e hoje tidos como normais, fazendo parte da História da Humanidade como também da vida das criaturas.

Parece a muitos, extremamente, reconfortante saber que estamos interligados com todos os seres e a outros, muito bizarro...

Como é possível a comunicação com o Universo? Como saber se estamos mesmo captando pensamentos de outras pessoas? É correto dizer que certas ocorrências nesse vastíssimo campo são milagrosas? Nisto se incluem os fatos mediúnicos?

Cientistas, pesquisadores da mente humana, como psiquiatras, psicólogos e os físicos da consciência estão se debruçando sobre os incontáveis relatos acerca desses momentosos assuntos, ao tempo que pesquisam os mecanismos do nosso cérebro na tentativa de encontrar respostas ali, na intimidade dos neurônios e demais implementos cerebrais. Em vão procuram explicar por meio da matéria aquilo que escapa a esse campo, e ingressa na interface matéria-mente-espírito.

Joanna de Ângelis elucida:

O materialismo continua campeando nas academias e nos laboratórios de pesquisa, procurando negar o Espírito e a sua Causalidade, reduzindo o ser humano ao capricho das moléculas e o pensamento aos fatalismos neuronais, que a anóxia cerebral reduz ao nada...

A Vida, no entanto, surpreende-nos a todos pelos seus potenciais inesgotáveis, que a mente ainda não pôde penetrar em toda sua realidade, convidando-nos a reflexões muito profundas em torno dos limites em que nos movimentamos e ante a imponderabilidade das ocorrências que a todos surpreende a cada dia.

Afinal, a ciência não tem sido propriamente criadora de nada, porquanto tudo aquilo que apresenta de alguma forma é cópia imperfeita do que observam os cientistas nos painéis grandiosos da Criação.

Lentamente, mas com segurança, os fatos que antes eram presunçosamente ignorados começaram a chamar a atenção de tal forma, que alternativa não tem havido senão a de examiná-los, estudá-los e concluir pela realidade do fenômeno imortalista, pela preexistência e sobrevivência do Espírito à morte, pela ordem universal criada por Deus e pelo sentido ético-moral de fundamental importância para a existência feliz. [37]

Os fenômenos psíquicos sempre existiram e sempre despertou o interesse das pessoas que se ocupam em comentá-los, acreditando ou não. Durante milênios aqueles que os produziam eram considerados indivíduos privilegiados, que realizavam 'milagres' e curas; posteriormente passaram a ser perseguidos e, na Idade Média, condenados às

[37] Divaldo P. FRANCO, *Dias Gloriosos.*

fogueiras. O tempo passou e tudo mudou. Hoje se estuda a autenticidade desses fenômenos e suas causas, bem como as aptidões mentais e espirituais dos sujeitos que os produzem.

O que não se pode negar é que a crença na continuidade da vida, após a morte do corpo físico, na sobrevivência da alma, liberta dos grilhões da matéria, é uma realidade universal. São incalculáveis as evidências, como também são incalculáveis as obras que relatam casos e mais casos de experiências de pessoas, em todos os tempos e em todas as partes do mundo, em um registro formidável e autêntico dessa universalidade.

Todavia, também são inúmeras as obras que rejeitam essa ideia.

O foco da maioria dos cientistas e pesquisadores, entretanto, é o cérebro, pois ainda predomina, embora em círculo mais restrito, o paradigma que postula ser o Universo um gigantesco mecanismo, regido por leis igualmente mecânicas.

Durante um bom tempo predominou a convicção, no âmbito da ciência, de que tudo o que existe poderia ser comparado a um relógio e funcionaria como os mecanismos semelhantes ao deste. Resultando daí a concepção de que o cérebro humano é em ponto menor também um mecanismo, porém extremamente sofisticado e responsável por tudo o que somos, desde a inteligência, os pensamentos, a mente, a vontade até as emoções e os sentimentos.

A pressuposição científica, relacionada aos mecanismos do relógio, todavia, estava incorreta, pois se examinando atentamente a realidade, não se encontra nada que a ele se assemelhe – é o que explica Dean Radin. (*Mentes Interligadas*). O escritor menciona, com muita propriedade que *[...] ao contrário, a realidade é tecida de estranhos filamentos 'holísticos' que não se acham localizados em qualquer ponto determinado do espaço e nem do tempo.*

Observe o atencioso leitor ou leitora, que estes pensamentos de diversos autores, em diferentes épocas, estão muito bem encadeados, encaminhando o nosso raciocínio para os novos paradigmas que, gradualmente, substituem os antigos, pela força das recentes conquistas do conhecimento.

Décadas antes de o psicólogo Natanael Branden escrever a frase que apresento como epígrafe neste capítulo, encontramos o espírito Emmanuel, por meio de Chico Xavier, expressando o mesmo pensamento da seguinte forma:

> *O homem permanece envolto em largo oceano de pensamentos, nutrindo-se de substância mental, em grande proporção.*
>
> *Toda criatura absorve, sem perceber, a influência alheia nos recursos imponderáveis que lhe equilibram a existência. Estamos assimilando correntes mentais, de maneira permanente. De modo imperceptível 'ingerimos pensamentos', a cada instante, projetando,*

em torno de nossa individualidade, as forças que acalentamos em nós mesmos. [38]

Somos seres pensantes, repetimos, o que vale dizer que cada um de nós emite pensamentos contínuos durante toda a sua vida e que irão alcançar aqueles que estão na mesma faixa mental; por outro lado, captamos pensamentos alheios. Na verdade somos a soma de muitos que pensam como pensamos; em outras palavras, estamos interligados àqueles que pensam como nós. Não há nenhum segredo nisso e sim uma lei natural existente no Universo. Lei esta que começa a ser mais conhecida e difundida.

Do alto de sua sabedoria, a Mentora Espiritual Joanna de Ângelis ensina:

> *Porque é uma fonte de energia, o Espírito possui recursos valiosos que se expressam através do seu psiquismo, podendo irradiar o pensamento, produzindo fenômenos de telepatia – consciente ou inconscientemente, de pré e retrocognição – captando ondas específicas dos acontecimentos, clarividência e clariaudiência – registrando faixas vibratórias especiais, nas quais se assinalam acontecimentos transpessoais – bem como entrando em sintonia com o mundo espiritual de onde se origina e para onde retorna.* [39]

---

[38] Francisco Cândido XAVIER, *Roteiro.*

[39] Divaldo P. FRANCO, *Dias Gloriosos.*

As religiões cristãs são espiritualistas, ou seja, creem na sobrevivência da alma, que essa não se extingue após a morte do corpo. Acreditam que às almas está destinado um lugar determinado conforme sua condição espiritual, condição esta que pode ser mencionada como boa ou má; assim só existem dois locais possíveis no outro lado da vida, o céu para os bons e o inferno para onde vão os maus.

Cabem aqui várias perguntas lógicas: essas almas ou espíritos têm sentimentos? Amam? Odeiam? Os que amam ficam para sempre privados de seus afetos? Jamais se encontrarão? Os que odeiam alguém ou alguns ficarão assim para sempre? E os que mantêm amor pelos seus entes queridos que permanecem na Terra, estão impedidos de revê-los? Ou podem se aproximar daqueles que amam?

A lista de perguntas não cessa. Muitas e muitas outras acorrem à nossa mente.

Pensando nesses termos, Allan Kardec, o Codificador do Espiritismo, propôs aos que combatem a ideia da comunicação entre os chamados vivos e os chamados mortos, as seguintes reflexões, aqui resumidas:

1º) que o ser pensante durante a vida terrena não mais pensa depois da morte;

2º) que se ele pensa não deve mais pensar nos que amou;

3º) que se pensa nos seus entes queridos não deve querer comunicar-se com eles;

4º) que se pode estar em toda parte não pode estar ao nosso lado;

5º) que podendo estar ao nosso lado não pode comunicar-se conosco;

6º) que por meio do seu corpo fluídico não pode agir sobre a matéria inerte;

7º) que podendo agir sobre a matéria inerte não pode agir sobre um ser vivo;

8º) que se pode agir sobre um ser vivo não pode impulsionar-lhe a mão para fazê-lo escrever;

9º) que se podendo fazê-lo escrever não pode responder-lhe as perguntas nem transmitir-lhe pensamentos. [40]

A conexão mental, portanto, é uma realidade no nosso plano terreno, entre os seres humanos, quanto entre nós e o mundo espiritual.

Há uma premissa maior que a física quântica veio comprovar: que o Universo é uma fantástica teia cósmica, na qual tudo está entrelaçado.

É o que ensina Fritjof Capra, em seu notável livro *O Tao da Física*:

A teoria quântica revela um estado de interconexão essencial do Universo. Mostra que não podemos decompor o mundo em suas menores unidades capazes de existir independentemente e, sim, sob a forma de uma

---

[40] Allan KARDEC, *O Livro dos Médiuns*.

complexa rede de relações entre as diferentes partes de um todo unificado. Vê o Universo como uma **teia interligada de relações físicas e mentais** *cujas partes só podem ser definidas através de suas vinculações com o todo.* [41]

Esse é, também, o pensamento de Erwin Schrödinger, um dos fundadores da teoria quântica, que denominou de *entrelaçamento ou emaranhamento* a essa nova compreensão acerca do Universo, afirmando: *Eu não diria que este é 'um', porém o 'traço' mais característico da mecânica quântica.* [42]

Importante citar a proposta de Dean Radin, ou seja, *[...] proponho que a psi seja a maneira como os seres humanos experimentam o Universo entrelaçado.* [43]

Esse é o novo olhar com que muitos dos cientistas modernos enxergam o mundo, atualmente, embora as dificuldades que ainda persistem por parte daqueles que ainda estão presos à teoria mecanicista, por considerarem essa abertura de pensamento muito ligada ao misticismo e, por essa razão, impossível de ser admitida.

---

[41] Fritjof CAPRA, *O Tao da Física: Um paralelo entre a física moderna e o misticismo oriental.*

[42] Dean RADIN, *Mentes Interligadas: Evidências científicas da telepatia, da clarividência e outros fenômenos psíquicos.*

[43] Idem.

Os versos do poeta William Blake expressam lindamente como uma mente entrelaçada percebe o mundo:

Ver o mundo em um grão de areia
e o céu numa flor selvagem,
Segurar o infinito na palma da mão
e a eternidade em uma hora. [44]

Os versos de Blake, segundo Radin, apontam para uma direção mais ampla para o entendimento da psi, sugerindo que em *um nível de realidade mais profunda que os sentidos podem captar, nossos cérebros e mentes se acham em comunhão íntima com o Universo.*

Percebe-se, pois, que Dean Radin, no seu livro já citado, adota argumentos em profusão, evidenciando que os fenômenos psíquicos se coadunam perfeitamente com as modernas teorias da física quântica, embora o autor permaneça na convicção plena de que os mesmos são propriedades do cérebro físico e da mente, esta também como oriunda do campo cerebral.

Apraz-nos ressaltar que o Espiritismo tem muito a dizer a esse respeito, estando mesmo à frente das mais recentes descobertas, conforme elucida Allan Kardec:

---

[44] William BLAKE apud Dean RADIN, p. 257.
Blake nasceu em Londres em 1757. Morreu em 1827. Foi um dos grandes poetas românticos ingleses, assim também pintor, impressor e um dos maiores gravadores do seu país.
http://virtualbooks.terra.com.br/livros_online/willian_blake/wb_bio.htm

O Espiritismo dilata o pensamento e lhe rasga horizontes novos. Em vez dessa visão, acanhada e mesquinha, que o concentra na vida atual, que faz do instante em que vivemos na Terra, único e frágil eixo do porvir eterno, ele, o Espiritismo, mostra que essa vida não passa de um elo no harmonioso e magnífico conjunto da obra do Criador. Mostra a solidariedade que conjuga todas as existências de um mesmo ser, todos os seres de um mesmo mundo e os seres de todos os mundos. Faculta assim uma base e uma razão de ser à fraternidade universal, enquanto a doutrina da criação da alma por ocasião do nascimento de cada corpo torna estranhos uns aos outros todos os seres. Essa solidariedade entre as partes de um mesmo todo explica o que inexplicável se apresenta desde que se considere apenas um ponto. Esse conjunto, ao tempo do Cristo, os homens não o teriam podido compreender, motivo porque ele o reservou para outros tempos o faze-lo conhecido. [45]

É realmente confortadora essa nova compreensão acerca da Criação Divina. Ao constatarmos que existe uma causa e um propósito transcendentais que orientam e sustentam o Universo, que expressam Beleza e Perfeição em plenitude, que mantêm a Harmonia da Vida estuante, que pulsa

[45] Allan KARDEC, *O Evangelho Segundo o Espiritismo*, c. II it. 07.

nas mais longínquas e esplendorosas galáxias e, nos seres infinitesimais, nós, filhos de Deus, pequeninos ainda, espiritualmente falando, começamos a perceber a nossa própria imortalidade e o infinito porvir adiante de nossos passos.

Capítulo 6

Tudo está em tudo

> Cada espécie de seres, do cristal até o homem, e do homem até o anjo, abrange inumeráveis famílias de criaturas, operando em determinada frequência do Universo. E o amor divino alcança-nos a todos, à maneira do Sol que abraça os sábios e os vermes.
>
> *André Luiz* [46]

O ESPIRITISMO TEM MUITO A CONTRIBUIR, pois fala para o futuro, abrindo perspectivas muito avançadas para os saberes humanos. A cada dia isto é confirmado por espíritas estudiosos das obras básicas, que fazem as respectivas pontes entre os postulados espíritas e as descobertas e avanços mais modernos em vários ramos do conhecimento.

Vale lembrar, neste momento, os esclarecedores artigos que têm sido apresentados na revista *Reformador*, da

[46] Francisco Cândido XAVIER, *Libertação*.

Federação Espírita Brasileira, FEB, de autoria de Marta Antunes Moura.

Comento a seguir o seu excelente artigo intitulado "A Teoria de Tudo", de setembro de 2008, número 2154, páginas 25 a 27.

Marta A. Moura esclarece inicialmente que essa teoria *[...] visa resumir em um único conjunto de equações a origem e a natureza do cosmo, assim como as forças contidas nele,* conforme menciona o inglês Robert Matthews, físico, matemático, pesquisador e repórter científico. [47]

A teoria propõe unir o micro e o macrocosmo, sendo também denominada Teoria da Grande Unificação, a fim de provar, na prática, *a existência de uma matéria primordial encontrada tanto no Universo quanto no átomo.*

Revela Marta Antunes que:

> *[...] há muito investimento científico na 'Teoria de Tudo', acreditando-se que no futuro, não tão remoto, será possível identificar, de forma concreta, esse elemento fundamental, tendo em vista que o macro e o microcosmo apresentam profundas semelhanças entre si e que um reage sobre o outro. Isto está comprovado pela Ciência.*

Convém ressaltar que no livro *A Gênese*, de Allan Kar-

[47] Robert MATTHEWS, apud Marta A. MOURA, *25 Grandes Idéias: como a ciência está transformando o mundo.*

dec, encontramos preciosas informações a respeito desse elemento fundamental que deu origem aos mundos, a todo o Universo e, consequentemente, aos seres – *a matéria cósmica primitiva.*

Observemos o trecho a seguir:

Há um fluido etéreo que enche o espaço e penetra os corpos. Esse fluido é o éter ou matéria cósmica primitiva, geradora do mundo e dos seres. São-lhes inerentes as forças que presidiram às metamorfoses da matéria, as leis imutáveis e necessárias que regem o mundo. Essas múltiplas forças, indefinidamente variadas segundo as combinações da matéria, localizadas segundo as massas, diversificadas em seus modos de ação, segundo as circunstâncias e os meios, são conhecidas na Terra sob os nomes de gravidade, coesão, afinidade, atração, magnetismo, eletricidade ativa. Os movimentos vibratórios do agente são conhecidos sob os nomes de som, calor, luz, etc. [...].

Ora, assim como só há uma substância simples, primitiva geradora de todos os corpos, mas diversificada em suas combinações, também todas essas forças dependem de uma lei universal diversificada em seus efeitos e que, pelos desígnios eternos, foi soberanamente imposta à criação [...]. [48]

[48] Allan KARDEC, *A Gênese: Os milagres e as predições segundo o Espiritismo.*

Marta Antunes comenta que se pode considerar como marco inicial das pesquisas científicas, em relação à Teoria da Grande Unificação, as deduções do astrônomo italiano Galileu Galilei (1564-1642) que, *ao observar imperfeições nas montanhas e crateras da Lua, as fases do planeta Vênus e os satélites de Júpiter, concluiu que 'os céus' (espaço sideral) e a Terra possuem natureza similar.* O que foi comprovado pelo físico e matemático inglês, Isaac Newton (1643-1727).

Importante contribuição à Teoria da Unificação deve-se ao físico escocês James C. Maxwell (1831-1879) que *comprovou, na prática, a união de duas forças: o magnetismo e a eletricidade. Por meio de quatro equações, Maxwell desenvolveu o eletromagnetismo – cujos benefícios tecnológicos são inumeráveis – de forma notável, simples e elegante.*

Nos últimos 200 anos surgiram outras contribuições, como a Teoria da Relatividade Geral, de Albert Einstein (1879-1955), e a Teoria Quântica, do físico alemão Max Planck (1858-1947).

O Espiritismo, mais uma vez se adianta ao apresentar em *O Livro dos Espíritos* informações relativas à matéria, registrando que esta é formada *[...] de um só elemento primitivo. Os corpos que considerais simples não são verdadeiros elementos, são transformações da matéria primitiva.* (questão nº 30).

Na questão seguinte, 31 de *O Livro dos Espíritos*, informa que as *diversas propriedades são modificações que as moléculas elementares sofrem, por efeito da sua união, em certas circunstâncias.*

Prosseguindo, Marta Antunes cita a questão 33, proposta por Kardec:

A mesma matéria elementar é suscetível de experimentar todas as modificações e de adquirir todas as propriedades?

A resposta dos Espíritos Superiores é extraordinária:

Sim e é isso o que se deve entender, quando dizemos **que tudo está em tudo.** [49]

Não é difícil concluirmos que a teoria quântica, no que se refere ao entrelaçamento, à teia cósmica, também à conexão que mantemos com o Universo e, por via de consequência com os demais seres humanos, em síntese, se possa dizer, como no livro acima citado, que **tudo está em tudo.**

O que nos leva, igualmente, a inferir que a obra ditada pelos Espíritos Superiores e que Allan Kardec compilou, já trazia noções que a física quântica apresentaria mais tarde. Bom lembrar que, muito antes, a física quântica já era citada pelas grandes religiões orientais.

Por exemplo, vejamos este texto de Fritjof Capra:

A característica mais importante da visão oriental do mundo – poder-se-ia mesmo dizer, a essência dessa visão – é a consciência da unidade e da inter-relação

---

[49] Allan KARDEC, *O Livro dos Espíritos*, questões 31, 32 e 33.

de todas as coisas e eventos, a experiência de todos os fenômenos do mundo como manifestações de uma unidade básica. Todas as coisas são encaradas como partes interdependentes e inseparáveis do todo cósmico; em outras palavras, como manifestações diversas da mesma realidade última [...].

Na visão oriental, como na física moderna tudo no Universo está conectado a tudo o mais e nenhuma parte dele é fundamental. As propriedades de qualquer parte são determinadas não por alguma lei fundamental, mas pelas propriedades de todas as demais partes. [50]

[50] Fritjof CAPRA, *O Tao da Física: Um paralelo entre a física moderna e o misticismo oriental.*

Capítulo 7

Lei de Atração: uma das Leis Divinas

O amor é a lei de atração para os seres vivos e organizados. A atração é a lei de amor para a matéria inorgânica.[51]
S. Vicente de Paulo (Espírito) *in O Livro dos Espíritos*

A LEI DE ATRAÇÃO É UMA DAS LEIS DIVINAS e todas as coisas e todos os seres vivos a ela estão submetidos.

Essa Lei já era reconhecida pelas antigas civilizações, como a dos babilônios, dos egípcios e as tradições herméticas. Religiões como o hinduísmo, o budismo, o judaísmo, o cristianismo evidenciam-na; mais recentemente, as experiências dos alquimistas, as práticas exotéricas, a teosofia – como se pode perceber, a Lei de Atração não era segredo desde os tempos imemoriais.

Por sua vez, O Espiritismo, há um século e meio, ressalta e explica sua atuação em todo o Universo.

Léon Denis proporciona a visão espiritual sobre essa lei.

[51] Allan KARDEC, *O Livro dos Espíritos*, q. 888-a.

A vida é uma vibração imensa que enche o Universo e cujo foco está em Deus. Cada alma, centelha destacada do Foco Divino, torna-se, por sua vez, um foco de vibrações que hão de variar, aumentar de amplitude e intensidade, consoante o grau de elevação do ser.
Toda alma tem, pois, a sua vibração particular e diferente. O seu movimento próprio, o seu ritmo, é a representação exata do seu poder dinâmico, do seu valor intelectual, da sua elevação moral.
Toda a beleza, toda a grandeza do Universo vivo se resume na lei das vibrações harmônicas. As almas que vibram uníssonas reconhecem-se e chamam-se através do espaço. Daí as atrações, as simpatias, a amizade, o amor! Os artistas, os sensitivos, os seres delicadamente harmonizados conhecem essa lei e sentem-lhe os efeitos. A alma superior é uma vibração na posse de todas as suas harmonias. [52]

Temos inúmeros exemplos de que a atração impera em nossa vida. Desde cedo somos atraídos por pessoas, cujos pendores e capacidades nos atraem; também coisas e lugares nos podem parecer muito atrativos, e, com base nisso, é que fazemos nossas escolhas.

Há certa espécie de fascínio que atrai pessoas para esse ou aquele local, para essa ou aquela época e situação.

[52] Léon DENIS, *O Problema do Ser, do Destino e da Dor.*

A Lei de Atração impera entre os astros e abrange todo o Universo. Igualmente prevalece no restrito universo de nossas forças mentais. Ao emitir pensamentos cada um de nós exterioriza o que cultiva em seu mundo interior, que encontrará ressonância entre os que estão na mesma faixa vibratória.

Há uma interação eletromagnética das forças universais propiciando a Harmonia, expressando a contínua Criação Divina. Mesmo no aparente caos dos magnos eventos que ocorrem no espaço sideral, ainda aí estão presentes a Vontade e o Poder do Criador. Assim, no macro como no microcosmo tudo tem finalidade tão grandiosa que em nossa acanhada percepção não temos condições de avaliar.

O Mentor Espiritual Emmanuel enfatiza:

Estamos invariavelmente atraindo ou repelindo recursos mentais que se agregam aos nossos, fortificando-nos para o bem ou para o mal, segundo a direção que escolhemos.

Em qualquer providência e em qualquer opinião, somos sempre a soma de muitos. Expressamos milhares de criaturas e milhares de criaturas nos expressam. [53]

O grande segredo que todos nós precisamos entender em relação a essa Lei Divina, é a conscientização do que estamos atraindo com nossos pensamentos. Façamos uma análise do que pensamos habitualmente, se nossos pensa-

[53] Francisco Cândido XAVIER, *Pensamento e Vida.*

mentos nos são benéficos ou não, se são de revolta, reclamação, mágoas, ressentimentos, depressivos, ou ao contrário, se cultivamos os de alegria, compreensão, paciência; se espelham nossa fé em Deus e em nós próprios, em nossas capacidades, aumentando assim o poder da nossa força de vontade em melhorar e progredir.

Isso nos remete à questão do livre-arbítrio, que é a liberdade que temos de fazer escolhas, de resolvermos o que achamos ser melhor para nossa vida. Para ajudar o ser humano Deus dotou-nos de raciocínio e de discernimento, que podemos entender como resultantes da consciência de cada um.

É importante melhorar a qualidade dos nossos pensamentos visando a uma vida mais saudável e feliz.

Existem pessoas de tal maneira negativas que passam a vida a se lamentar porque não têm isto ou aquilo, deixando de usufruir os momentos de bem-estar e alegria que a vida lhes proporciona.

Essas pessoas, às vezes, dizem que lhes faltam recursos, saúde, tranquilidade e se imaginam como as maiores sofredoras do mundo.

Todavia, temos exemplos dignificantes de pessoas que conseguem superar suas limitações, sofrimentos e dificuldades com força de vontade e pensamento tão firme e determinado que a nós serve de preciosa lição de vida.

Uma grande amiga minha, que se chamava Giselda, ficou cega aos 14 anos e depois paraplégica, vítima de uma enfermidade desconhecida àquela época, hoje conhecida como esclerose múltipla. Presa ao leito Giselda movimentava apenas o braço esquerdo. Seus pais, dedicadíssimos, colocaram ao alcance de sua mão um telefone, para que ela pudesse conversar com os amigos. Mas, Giselda fazia mais do que isso: pelo telefone transmitia conselhos aos que narravam seus problemas e dificuldades; para cada um tinha uma palavra de bom ânimo, de incentivo, sem mencionar seu próprio drama. Sempre alegre atendia aos que a visitavam, e muitas vezes, cantava, acompanhada ao violão por um amigo. Seu exemplo infundia coragem e esperança aos que se sentiam tristes por vê-la passando por tal provação.

Mas, a enfermidade era progressiva. Aos 32 anos seu estado agravou-se e Giselda abandonou o corpo físico, com serenidade. Estive com ela 24 horas antes de sua partida. Recordo-me, até hoje, daquele momento em que juntamente com seus pais oramos, antes tomando o livro *Fonte Viva*, de Emmanuel [54], abrindo-o ao "acaso", que nos apresentou significativa página, capítulo 169, intitulado "Busquemos a Eternidade". Ao ler o título Giselda foi logo dizendo, com um fio de voz, que era para ela e comentou que já sentia o início de seu desligamento do corpo físico. Foi com emoção superior que lhe apliquei o passe. Ela e nós sabíamos que aquela seria sua despedida. Até o fim deu-nos lições de coragem, de

---

[54] Francisco Cândido XAVIER, *Fonte Viva*.

fé em Deus e no Espiritismo, que lhe transmitia o conforto do conhecimento na continuidade da vida imortal.

A força mental dessa querida amiga, aliada às suas convicções profundas e sinceras, ensejou-lhe condições para superar todas as limitações até o instante final de sua prova terrena.

Mas, não só ela. Inúmeros são os casos de pessoas que superam suas dificuldades e limitações físicas ou mentais com a força da vontade, e com a confiança em si próprias, tendo a certeza de que a mente humana é poderosa usina que acionada emite energias suficientes para uma vida rica e produtiva.

O pensamento e a vontade são ferramentas preciosas, cujas potencialidades ainda não conhecemos e, muito menos, utilizamos a nosso favor.

E André Luiz arremata, dizendo: *Daí, a necessidade imperiosa de nos situarmos nos ideais mais nobres e nos propósitos mais puros da vida, porque energias atraem energias da mesma natureza.* [55]

---

[55] Francisco Cândido XAVIER, *Ação e Reação*, cap. 4.

Capítulo 8

Afinidade e sintonia

A ciência do invisível há de sempre ultrapassar os métodos humanos.
Léon Denis [56]

AFINIDADE, SEGUNDO O DICIONÁRIO AURÉLIO, significa: relação, semelhança. Semelhança entre duas espécies; conformidade, identidade, igualdade. Afinidade de gostos. Coincidência de gostos ou de sentimentos. Afinidade espiritual.

Sabemos que tudo no Universo é força, é luz, é atração. Tudo vibra e é vida na infinitude cósmica. Vibrações atraem vibrações similares, aproximando as almas por meio do pensamento e dos sentimentos que irradiam.

Nossos desejos, nossos ideais exteriorizam-se em nossas vibrações atraindo, naturalmente, os que cultivam os mesmos valores.

---

[56] Léon DENIS, *No Invisível*.

Para entendermos mais claramente essa questão de vibrações, lembremos com Léon Denis que:

> *[...] exatamente como os sons e a luz, os sentimentos e os pensamentos se exprimem por vibrações que se propagam pelo espaço com intensidades diferentes. As vibrações de cérebros pensantes, de homens ou de Espíritos se cruzam e entrecruzam ao infinito, sem jamais se confundirem. Em torno de nós, por toda a parte, na atmosfera, rolam e passam como torrentes incessantes, fluxos de idéias, ondas de pensamentos.* [57]

Afinidade é tudo isso e está sempre presente em nossa vida. Quanta afinidade somos capazes de encontrar? Não se trata, porém, de quantidades, mas de qualidade. Qualquer um de nós pode compreender, bem profundamente, o que significa essa coincidência de gostos ou de sentimentos.

Afinidade pode ser algo muito prazeroso, pois ao encontrarmos pessoas que pensam de acordo como pensamos, que apreciam as mesmas coisas que nós apreciamos naturalmente nos sentimos próximos e, por consequência, procuramos manter essa convivência. Essa identificação nos fortalece, traz-nos a sensação de que não estamos sós em nossas preferências e pontos de vista.

A afinidade, em âmbito geral, amplia-se infinitamente,

---

[57] Léon DENIS, *No Invisível*.

quando se trata de uma condição ou estado íntimo, de uma busca espiritual que transcende a forma e expressa uma vontade, um ideal de conexão com o Amor presente em cada ser e em todo o Universo. É assim que passamos a cultivar uma interligação de afinidade com aqueles que igualmente têm o mesmo desejo. Não importa, pois, quaisquer diferenças de raça, de distância geográfica ou de cultura, o que importa é que nós buscamos o mesmo objetivo, que anelamos a mesma coisa.

Isto nos remete agora à questão da sintonia.

Sintonizar, segundo o Dicionário Aurélio, é ajustar um aparelho de rádio ao comprimento da onda transmitida pela estação emissora. Harmonizar-se, afinar-se.

Nossa mente – já mencionamos linhas atrás – é como se fosse uma estação de rádio, transmissora e receptora. Diz-se que há sintonia quando uma onda encontra ressonância em um campo vibratório equivalente, sendo captada por um receptor na mesma frequência (faixa) vibratória.

Havendo sintonia ocorre a ressonância, ou seja, as vibrações que decorrem dessa identificação de natureza vibratória. [58]

Há sintonia quando há afinidade. Isto vale tanto para as coisas positivas quanto para as negativas, superiores e inferiores, moralmente falando. Preferências geram sintonia.

[58] Divaldo P. FRANCO, *Diretrizes de Segurança.*

Os que desejam a mesma coisa, os que cultivam emoções semelhantes entram em sintonia mental, porque se afinam.

Pessoas promovem reuniões, fundam agremiações, clubes, e até religiões para favorecer a aproximação daqueles que cultivam as mesmas ideias, preferências e crenças; interesses comuns nos aproximam.

A Mentora Espiritual Joanna de Ângelis leciona muito profundamente a respeito do tema. Vamos conferir:

> *As leis de afinidade ou de sintonia, que vigem em toda parte, respondem pela ordem e pelo equilíbrio universal [...]. Transferidas para a ordem moral, as leis de afinidade promovem os acontecimentos vinculando os indivíduos, uns aos outros, de forma que o intercâmbio seja automático, natural.*
>
> *Mentes especializadas mais facilmente se buscam em razão do entendimento e interesse que as dominam na mesma faixa de necessidade. Há uma inevitável atração entre personalidades de gostos e objetivos semelhantes, como repulsa em meio àqueles que transitam em faixas de valores que se opõem.*
>
> *Na área psíquica o fenômeno é idêntico. Cada mente se irradia em campo próprio, identificando-se com aquelas que aí se expandem.* [59]

Uma pergunta, a essa altura, é perfeitamente cabível.

[59] Divaldo P. FRANCO, *Momentos de Meditação.*

Em termos práticos, como funciona essa questão de sintonia e das relações mentais em nossa vida?

Quem vai responder e explicar é o escritor José Marques Mesquita:

> *A energia que flui da mente de uma pessoa transporta consigo as suas disposições íntimas e as imagens emitidas por sua mente. Por meio desse fluxo de energia é que ela estabelece com outras mentes, encarnadas ou desencarnadas, com as quais se afine, uma ligação através da qual as mentes refletem entre si sua mútua influência, nisso consiste as relações mentais da pessoa com outras mentes [...].*
>
> *O nosso modo de ser e de sentir exprime as características da nossa personalidade, as quais se refletem nas ondas mentais que nos são peculiares, ondas essas por meio das quais atuamos sobre outras pessoas que, mentalmente dotadas das mesmas condições vibratórias (sintonia), também atuam sobre nós, segundo o grau de receptividade estabelecido na permuta de influências. Essa receptividade guarda relação com o grau de afinidade mental entre as pessoas.* [60]

Em nossos dias observamos que há procura intensa, e frequente de um contingente cada vez maior de pessoas,

[60] José Marques MESQUITA, *A Dinâmica da Mente na Visão Espírita.*

que anseiam por um mundo melhor e, logicamente, por mudanças significativas na compreensão do sentido da vida. Respira-se uma atmosfera de mudança para algo mais transcendente, uma forma de espiritualização que sobrepuje a predominância, essa espécie de jugo das coisas materiais, de tudo o que pertence ao domínio do corpo e do campo físico.

O ser humano sente que é maior do que isto.

A ilusão do corpo aos poucos se desvanece, à medida que o indivíduo reflete na sua própria condição de imortalidade.

O poder de Atração, essa Lei que impera em todo o Universo, interliga todos os que anseiam pela liberdade de pensamento, todos os que desejam empreender o voo de libertação das formas transitórias e impermanentes para a decisiva sintonia com a Espiritualidade, com os Espíritos de Luz, com Deus, afinal.

Para isso não é necessário uma santificação e que a criatura se afaste do mundo. Importa viver no mundo sem se deixar aprisionar pelas coisas do mundo, sabendo-as provisórias e passageiras.

Trata-se de uma outra visão de mundo, de nova perspectiva, que proporciona um crescimento interior inigualável. Essa mudança estrutural de pensamento irá se refletir no corpo físico, gerando estados saudáveis, porque evidencia a prevalência de pensamentos positivos atraindo ondas de energia saudável e benéfica.

Muito sabiamente, escreve Gabriel Delanne:

A Ciência ensina-nos que os nossos sentidos apenas nos fazem conhecer ínfima parte da natureza, porém que, além e aquém dos limites impostos às nossas sensações, existem vibrações sutis, em número infinito, que constituem modos de existência de que não podemos formar idéia, por falta de palavras para exprimi-la. [61]

[61] Gabriel DELANNE, *O Fenômeno Espírita*.

Capítulo 9

A verdade que não quer calar

Um Einstein não se faz apenas pelo aprendizado infantil de uma vida; muitas vidas anteriores contribuíram para suas habilidades. O inventor Thomas Edison intuiu corretamente a situação, ao afirmar:
O gênio é experiência. Alguns parecem pensar que é um dom ou talento, mas é o fruto de longa experiência em muitas vidas. Algumas pessoas são almas mais antigas do que outras, e por isso sabem mais.
Amit Goswami [62]

VOCÊ É UM ESPÍRITO. OU ALMA.

Você não é esse corpo, bonito ou não, elegante ou desajeitado, saudável ou enfermo, jovem ou idoso, enfim, você não é esta veste perecível, sujeita às estações da vida.

Você é um ser imortal. Nós, você que está lendo e eu, sua família, seus amigos e conhecidos, todos os seres

[62] Amit GOSWAMI, *A Física da Alma*.

humanos, somos espíritos, provisoriamente habitando um corpo material, físico.

Essa inteligência de que você é dotado, seus sentimentos e emoções, todas as suas capacidades e desejos, preferências e vontade não terminam em um caixão, no túmulo para onde vai o corpo, nosso corpo material.

Cessada a vida física, em poucos minutos a decomposição acelerada se processa inapelavelmente. Mas, você não está mais ali. Você não está deitado no caixão. Nem eu, nem ninguém. Acima da vida fugaz e perecível vibra uma realidade imperecível, imortal.

A certeza e a conscientização da imortalidade nos invadem, pela lógica maravilhosa de que não desapareceremos no Nada. Como também a certeza, pelo mesmo raciocínio lógico, de que nossos entes queridos que já se foram nos esperam.

Pense nisso. Admita essa possibilidade. Encare a certeza de sua espiritualidade.

Sendo espíritos, despojados da veste que se tornou imprestável, todos iremos para nossa pátria de origem: o Mundo Espiritual. Verdadeiro, eterno, criado por Deus como nossa morada pelos tempos infinitos afora.

Pensar, pensar é preciso.

Deus é o Criador do Universo. Tudo tem uma razão de ser. Ele criou as Leis Divinas que regem o Cosmos. Nada, portanto, é apenas para ser contemplado, nenhuma razão haveria da existência das estrelas, dos astros que povoam o espaço sideral, de bilhões de galáxias, apenas para que o olhar humano os admirasse deslumbrados.

O mundo não foi feito em sete dias. Eva não nasceu da costela de Adão – ideia puramente machista, visto que, se Deus criou Adão, por que não criaria Eva pelo mesmo processo? Por que necessitaria proceder da forma como está escrito? Não houve paraíso com serpente ameaçadora, como não houve pecado entre o casal, supostamente os dois primeiros habitantes do planeta. Tudo isto é uma linguagem simbólica, uma metáfora. A lenda de Adão e Eva tem sua beleza, mas não expressa a realidade. Inconcebível que assim fosse. A Ciência demonstra, aclara, evidencia, comprova a realidade da vida terrena. Veja quem tem olhos de ver.

Tudo vem ao seu tempo. Na condição de espíritos temos a possibilidade de evoluir e alcançar a felicidade que advém da perfeição. Trocamos de vestes quando necessário. Que tem isso de improvável? Por que o ser imortal não poderia ter outra vestimenta provisória na busca do seu próprio progresso? Por que uma só vida terrena não nos basta?

Você pode pensar assim: Voltar! Que ideia horrível! Por que voltaria?

Pense no conjunto dessas respostas:

Para continuar o que começou;

Para retomar sua busca da felicidade;

Para desenvolver outras potencialidades;

Para consertar o que destruiu;
Para melhorar seus sentimentos;
Para transformar o ódio em amor;
Para amar e ser amado, verdadeiramente;
Para ter outra visão da vida com nova oportunidade diferente da anterior;
Para devolver à vida e a outros o que tomou e tirou injustamente;
Para aprender o que não aprendeu;
Para valorizar o que desperdiçou;
Para aprimorar sentimentos;
Para se redimir dos erros cometidos;
enfim, para evoluir.
Para ser feliz!

A escada do progresso espiritual é infinita. Estamos no segundo degrau. Nosso planeta é atrasado. Mas um dia, que se perde nos evos, habitaremos as moradas felizes que nos aguardam.

Fazemos parte de uma grandiosa família.

O ser humano cruel, violento terá a oportunidade de se redimir. O chamado demônio de hoje será o anjo no amanhã – que pode ser longínquo, mas que chegará para ele.

Deus é nosso Pai. Jesus ensinou isto muitas vezes. Na oração do PAI NOSSO evidencia essa condição de que todos nós somos filhos de Deus.

Por que então criaria filhos para serem perpetuamente demônios? Coitados destes, por que merecem isto? Por que privilegiaria alguns e castigaria outros? Deus é injusto? Ou é justo?

Deus possui nossas imperfeições ou é a suprema perfeição?

Deus criou a dor para nos castigar? Jesus enfatizou que, "a cada um segundo as suas obras". A dor pode ser entendida como um processo educativo, já que optamos pelas ações danosas, já que nos tornamos devedores da economia divina. Muitos de nós reincidimo-nos nos mesmos erros, a cada nova etapa e nova veste. Vem até nós o aguilhão da dor e nos propele para o reto caminho.

É inevitável que abordemos as questões metafísicas, as questões de âmbito espiritual, porque falam da sua história pessoal, da história de todos nós.

Recentemente, o físico indiano Amit Goswami escreveu uma importante obra, *A Física da Alma*, em que aborda a questão da reencarnação, na visão da física quântica. A repercussão do livro é extraordinária, sendo que notáveis pensadores, físicos quânticos, cientistas têm-se pronunciado de maneira positiva, favorável quanto às inferências e comparações, dados e informações relacionadas à realidade da reencarnação, apresentadas pelo autor.

Goswami prefere usar a expressão "**mônada quântica**" ao invés da palavra **alma,** de acordo com a sua visão oriental, o que embeleza o raciocínio e as argumentações que desenvolve.

Antes de prosseguirmos nessa referência ao livro de Goswami, é preciso esclarecer a respeito do que é a *mônada*. Para tanto, valemo-nos da explicação de Humberto Schubert, no livro *Genealogia do Espírito*, que apresenta a teoria de Leibniz, filósofo e matemático alemão.

> *Leibniz define em sua monadologia alguns dos postulados que o Espiritismo viria a adotar quase dois séculos depois.*
>
> *Para Leibniz, a palavra mônada representa uma substância una, sem partes. Não é o átomo, nem as partículas subatômicas que conhecemos, mas algo menor e mais elementar que constitui a todos estes. Tal elemento não pode ser formado nem destruído, pois não tem partes que foram ou possam ser separadas. Todas são iguais em termos de estrutura e forma.*
>
> *Como tudo no Universo, a mônada está sujeita a mudanças; como sua forma não pode mudar, este processo só pode ser interno, em sua essência. Cada mônada é um princípio de vida, pois Deus não cria nada morto [...]. Se pode mudar e se contém em si o princípio da vida, esta partícula está sujeita à evolução. Desde o átomo, cada coisa do Universo que seja individual pode evoluir. Quanto mais evoluído o ser, mais se utiliza de outros seres. A bactéria é um ser incomensuravelmente*

superior a uma mônada, por isso pode servir de trilhões delas para sustentar suas atividades energéticas e sua estrutura.

O homem é incomensuravelmente superior à bactéria e à célula, por isso se serve de ambas aos trilhões, coordenando este ínfimos seres que, por sua vez, se refinam e talvez um dia evoluirão para outras formas de agregação orgânica e energética. Os homens, seres inteligentes e conscientes, produzem altas quantidades de energias imponderáveis e forças-pensamento que são de grande utilidade aos seres superiores; eles, por sua vez, nos sustentam e organizam de forma benéfica para si e para nós, analogamente à forma que organizamos nossas células, e assim também o Espírito superior responsável pelo planeta nos ampara e orienta. Por fim, do átomo ao arcanjo, todos os seres da criação desfrutam do amparo de Deus. [63]

Vejamos, então, um pequeno trecho do livro de Goswami, *A Física da Alma*, quando, na parte final, o autor transcreve perguntas que lhe são feitas em palestras e entrevistas.

P: A vida já é bem complicada sem que tenhamos de nos preocupar com vidas passadas e futuras. Por que devemos nos incomodar com

[63] Humberto S. COELHO, *Genealogia do Espírito*, p. 130.

elas? O pensamento reencarnatório é útil para as pessoas em geral, pessoas que não têm, por exemplo, qualquer necessidade terapêutica para conhecê-lo?

R: Definitivamente. Primeiro, o pensamento reencarnatório pode ser de grande valia para que as pessoas comuns vejam o valor da ética em suas vidas. Nas sociedades materialistas, a ética é considerada relativa; isso corrói a moralidade, a legalidade não consegue ocupar o papel da moralidade com a velocidade desejada, e as sociedades degeneram como vemos hoje com frequência. Porém, se as pessoas sabem que a transgressão ética desta vida conduz a repercussões cármicas na próxima, a ética se torna importante.

Segundo, a ideia da reencarnação nos permite ver que a morte faz parte de uma jornada criativa; essa percepção pode alterar nossa atitude para com a morte e minimizar nosso medo dela, além de mudar, por implicação, nossa atitude perante a vida.

Por último, mas não menos importante, a teoria da reencarnação nos diz que voltamos à Terra em cada encarnação para realizar algum trabalho significativo, para aprender alguns contextos e remover algum karma negativo.

Em outras palavras, temos um destino a cumprir. Pessoas que estão conscientes de seu destino não são ator-

mentadas por questionamentos acerca do sentido da vida; elas 'sabem'. [64]

Para melhor compreendermos a nossa interligação com todos os seres, com o Universo, afinal, necessário é a conscientização de nossa espiritualidade.

Portanto, eu não sou este corpo, eu sou o espírito que habita este corpo.

De espírito a espírito nos comunicamos. Porque é uma ligação mental e vibratória. Mente a mente, vibrações em afinidade e sintonia. Não é preciso ser médium, na acepção que o Espiritismo alude, para que haja essa interação, pois ela acontece naturalmente. Como também não importa a religião que a pessoa professe, nem se é ateu, nem condição alguma. É algo que nos é inerente, aptidões que nos são próprias, que alguns têm mais desenvolvidas que outros.

A compreensão de nossa condição espiritual foi objeto de profundas pesquisas e reflexões do eminente psiquiatra Carl Gustav Jung, que elaborou suas teorias fundamentadas, a maioria delas, em suas próprias experiências. Ele mesmo revela isso, de forma muito sincera e bela, em depoimento a Aniela Jaffé, no livro *Memórias, Sonhos, Reflexões*:

Minhas obras podem ser consideradas como estações de minha vida; constituem a expressão mesma do meu

[64] Amit, GOSWAMI, *A Física da Alma.*

desenvolvimento interior, pois consagrar-se aos conteúdos do inconsciente forma o homem e determina sua evolução, sua metamorfose. Minha vida é minha ação, meu trabalho consagrado ao espírito é minha vida; seria impossível separar um do outro.
Todos os meus escritos são, de certa forma, tarefas que me foram impostas de dentro. Nasceram sob a pressão de um destino.
O que escrevi transbordou de minha interioridade. Cedi a palavra ao espírito que me agitava. Nunca esperei que minha obra tivesse uma forte ressonância. Ela representa uma compensação frente ao mundo contemporâneo em que vivo e eu precisava dizer o que ninguém quer ouvir. É por isso que tantas vezes, principalmente no começo, sentia-me tão isolado. Sabia que os homens reagiriam pela recusa, pois é difícil aceitar a compensação e seu mundo consciente. Hoje posso dizer: é maravilhoso que tenha tido tanto sucesso, mais do que jamais esperei. Para mim, o essencial sempre foi dizer o que tinha a dizer. [65]

[65] Aniela JAFFÉ, *Memórias, Sonhos e Reflexões.*

Capítulo 10

O que fazemos aqui?

Tenho vivido como uma criancinha brincando na praia, que encontra aqui e ali um pedregulho mais brilhante, enquanto ao meu redor o grande oceano da verdade permanecia oculto.
Sir Isaac Newton

EM TODAS AS ERAS DA HUMANIDADE o homem sempre se questionou quanto à vida terrena e a si mesmo. Por que estou aqui? O que é a vida? De onde vim? Para onde vou depois da morte? O que há depois da morte? O Nada? O céu ou o inferno? Por que não sou feliz? Por que nascemos? Por quê? Por que...

A maioria das perguntas fica sem respostas e, assim o indivíduo termina os seus dias, talvez conformado, talvez revoltado, ou quem sabe crendo no destino, na sorte ou no azar de ter nascido.

Há, todavia, um propósito maior, que extrapola os limites da vida física, tão impermanente e fugaz e nos situa em uma condição em que não há limites ou fronteiras, nem tempo ou espaço.

Amit Goswami tem a resposta. Por outros caminhos, o célebre físico indiano, por meio de elocubrações verdadeiramente geniais, traduz o significado da vida física tal como o Espiritismo o considera. Transcrevemos um dos segmentos de seu livro *Deus Não Está Morto:*

> *Tanto no Oriente como no Ocidente, quer acreditemos em reencarnação ou em uma única vida, a ênfase da espiritualidade tem sido a união com um Deus transcendente. Filósofos espirituais, naturalmente, estão bem conscientes de que Deus também é imanente no mundo, mas, de algum modo, conseguiram minar nossos propósitos no mundo imanente. Até determinado ponto, isso contribuiu para tornar materialista a cultura mundial. Recentemente, as tradições espirituais permitiram que os assuntos do mundo fossem dominados pela ciência materialista, a qual propagou o materialismo pelo mundo sem qualquer obstáculo. Foi apenas nas últimas décadas que aflorou um desafio ao materialismo de dentro da própria tradição da ciência.*
>
> *Nas culturas dualistas, os filósofos espirituais têm se perguntado porque um Deus perfeito criaria um mundo imperfeito. Nas culturas não-dualistas, os filósofos espirituais ocasionalmente se perguntam porque Deus é imanente em um mundo imperfeito se Ele podia ter*

> *ficado para sempre na perfeição celestial. A resposta a essas perguntas, naturalmente, é: evolução. Nas duas culturas, os pensadores espirituais deixaram de lado a evolução. Deus se torna manifestado no mundo imanente para manifestar suas possibilidades não-manifestadas. O mundo começa a jornada da evolução com a imperfeição, sem dúvida, mas isso é apenas um começo. A consciência evolui em direção à perfeição, em direção à visão de sua perfeita natureza em manifestação.* [66]

Vejamos como o Espiritismo explica alguns dos passos do processo evolutivo na palavra de Léon Denis:

> *Deus colocou o homem no centro de um oceano de vida, de um reservatório inesgotável de forças e potência. E deu-lhe a inteligência, a razão, a consciência, para aprender a conhecer essas forças, a assenhorear-se delas e as utilizar. Por esse exercício constante é que a nós mesmos nos desenvolveremos e chegaremos a afirmar o nosso império sobre a Natureza, o domínio do pensamento sobre a matéria, o reino do Espírito sobre o mundo. É esse o mais elevado objetivo a que possamos consagrar a nossa vida.* [67]

O propósito maior da vida é, pois, a evolução.

Todos os espíritos foram criados em absoluta igualda-

[66] Amit GOSWAMI, *Deus Não Está Morto.*

[67] Léon DENIS, *No Invisível*, p. 340.

de de condições. Não há privilégios e nem qualquer tipo de castigo nas Leis de Deus.

A razão rejeita a menor possibilidade de que alguns de nós tenhamos sido mais favorecidos ou prejudicados de alguma forma, ao sermos criados por Deus.

O Criador dotou-nos, a todos, sem exceção, dos mesmos atributos, potencialidades latentes, em germe, se assim podemos nos expressar, e caberia a cada um desenvolvê-las, mediante o uso do livre-arbítrio e do esforço pessoal.

Cada ser humano escreve, pois a sua própria história.

O que é notável é que todos somos diferentes, não há ninguém que seja semelhante a outro ser humano.

No meu livro *Os Poderes da Mente* apresento uma reflexão acerca dessas potencialidades, esclarecendo que:

> *São surpreendentes os poderes da mente. Entretanto, na maioria de nós, tais poderes jazem adormecidos ou, quando exercitados, o fazemos não de modo pleno, mas ainda com muitas limitações e dificuldades.*
>
> *Esses poderes emanam do Espírito, com os quais o Criador dotou a todos os seus filhos.*
>
> *Assim, o ser humano estreando em sua caminhada, não a iniciou destituído de condições, de qualidades, de potencialidades. Ao contrário, embora com a inexperiência de um nascituro em termos evolutivos, trazia em si os atributos imprescindíveis para vencer as adversidades inerentes a um planeta primitivo.*

À medida em que seu pensamento se dilatou, em que suas idéias tornaram-se mais criadoras, a ânsia por melhorar a qualidade de vida preponderou e, proporcionalmente ao seu constante progresso intelectual, foi modificando o mundo ao seu redor, que tornou-se assim, a concretização do seu pensamento e de sua incrível criatividade. O homem pensou o mundo e o criou. [68]

O fato de entendermos a vida como um contínuo processo evolutivo, no qual todos nós estamos submetidos, remete-nos a uma certeza maior, a das vidas sucessivas, visto que somente por meio do ir e vir o espírito alcançará estágios superiores que o qualificam para voos mais altos nesse ilimitado futuro que a todos nos aguarda.

Há em cada espírito uma impulsão irrefreável que é a busca do melhor; temos imperiosa necessidade de melhorar a existência terrena, seja no sentido material, isto é, aprimorando a qualidade de vida em todos os seus aspectos, seja nessa ânsia de ser feliz que reside em cada um de nós.

Mas, o que é a felicidade?

Voltamos aos mesmos questionamentos de sempre. Entretanto, já se pode dizer que temos agora novas perspectivas, pois se abre para nós um horizonte muito belo e que se perde de vista, e se infinita até onde nosso pensamento consegue alcançar.

---

[68] Suely C. SCHUBERT, *Os Poderes da Mente.*

Com beleza e profundidade fala-nos Rubens Romanelli acerca do significado da vida:

> *É impossível conceituar a vida dentro do esquema de nossas categorias mentais, por isso que ela transborda dos limites logicamente impostos por qualquer definição. Em sua essência, ela é intraduzível na linguagem etiológica e teleológica; ela não conhece nem tempo, nem espaço, nem princípio, nem fim [...].*
>
> *Evolução significa, em última análise, integração do ser no próprio ser, da vida na própria vida. É progressiva liberação da ilusão e da dor, da limitação e da morte. Ela se realiza em virtude da constante interação entre o ser que plasma a forma e a forma que enriquece o ser. É contínua interiorização, mediante a qual o ser, despojando-se sucessivamente de todas as incrustações, se dilata infinitamente e volve a encontrar-se consigo mesmo, para reintegrar-se, consciente, na unidade em que verdadeiramente se consubstancia a vida.*
>
> *O amor é o mais elevado atributo da vida, ou melhor, é a vida mesma. Viver plenamente significa amar dentro desse amor que nos comunica o sentimento de nossa identidade com o infinito e nos faz solidários com todos os seres da Criação.* [69]

[69] Rubens ROMANELLI, *O Primado do Espírito.*

Essa é a nova consciência que emerge das profundezas abissais da nossa ignorância multimilenar, vencidas agora as etapas progressivas do nosso despertar à custa de suor e lágrimas – preço inexorável dessa abertura mental, espiritual, que gera amadurecimento.

À pergunta que assinala este capítulo, questão indiscutivelmente instigante, de imediato cada um de nós inicia um processo de busca interior para verificar o que pensamos sobre isto, ou seja, **o que afinal fazemos aqui?** Muitos de nós jamais tentamos pensar acerca disso, distraídos com aquilo que julgamos ser prioritário e, que de repente, parece nada valer, seja porque constatamos o tédio que avassala a nossa existência, seja porque começamos a pensar que deve existir um significado qualquer na vida humana.

Eis porque vêm até nós espíritos de alta sabedoria, com a finalidade de despertar a Humanidade para a sua destinação superior, evidenciando a cada ser humano a sua condição de espírito imortal que necessita, por essa razão, atender à sua essência espiritual, o que vale dizer, à sua espiritualização.

Um destes é o espírito Carlos Torres Pastorino. Nome sobejamente conhecido, pois quando ainda no plano físico legou-nos o precioso livro *Momentos de Sabedoria*. Ele retorna às letras com a mesma sabedoria, através da mediunidade de Divaldo Pereira Franco, em um livro rico de ensinamentos, *Impermanência e Imortalidade*.

Vejamos o que ele diz, referindo-se ao processo evolutivo:

Eis definida a necessidade da reencarnação, através de cuja **roda de samsara**, *o ser emerge das formas pesadas e ala-se em dúlcidas vibrações de luz no rumo do Infinito. Enquanto persevera nas amarras do passado, que se transformam em cadeias de sofrimentos e de angústias no presente, necessita de deslindar-se caminhando para o futuro. Todos esses tempos porém, encontram-se num só período de tempo denominado hoje, que lhe constitui a oportunidade incomparável de sair das repetições dos comportamentos afligentes. Fadado à plenitude, o Espírito alça-se ao infinito, etapa a etapa, mediante as conquistas de amor e de sacrifício que o dominarão ao largo das vivências de sublimação. Esse empenho libertador auxilia-o na busca do* **Nirvana,** *do* **Reino dos Céus,** *da* **Espiritualidade Superior**, *onde o tempo e o espaço se encontram no infinito da realidade por enquanto desconhecida. Somente através desse processo é que se desenvolverá o* **Cristo Interno,** *a* **Divina Chispa**, *a* **Semente Sublime**, *o* **Deus Interior** *que predomina em germe no cerne de todos os seres humanos.* [70]

[70] Divaldo P. FRANCO, *Impermanência e Imortalidade.*

Segunda Parte

Visão espiritual das conexões mentais

Capítulo 11

Memória cósmica

No infinito livro dos mistérios da natureza, estive a ler um pouco.
Shakespeare [71]

HÁ, INCONTESTAVELMENTE, UMA MEMÓRIA CÓSMICA. Talvez essa ideia lhe pareça muito estranha, caro leitor, cara leitora. Entretanto, podemos explicar. Existem razões e confirmações mais do que confiáveis de que tudo está gravado em tudo.

Você já ouviu falar que espíritos desencarnados, às vezes, ficam, digamos assim, agarrados, imantados a objetos? Já ouviu história de pessoa que comprou uma peça antiga, uma cadeira, por exemplo, e a partir daí percebeu a presença de um Espírito na casa, que dava a impressão de estar sentado na tal cadeira o tempo todo? Pois é, não são

[71] William SHAKESPEARE (1564-1616) apud Hermínio C. MIRANDA, *Memória Cósmica.*

somente histórias, o caso pode ser real.

Entretanto, pode acontecer que não haja nenhuma alma do outro mundo ligada a antiguidades, é bom esclarecermos logo, pois isso raramente ocorre. Mas, existem outras situações incrivelmente notáveis, referente a uma espécie de **alma das coisas.**

Vamos partir da premissa básica de que estamos interconectados com o Universo; que a Lei de Atração impera em toda parte e que atraímos pensamentos e vibrações que estão em nossa frequência vibratória; que nossas mentes, portanto, estão interligadas com aquelas mentes que se afinam e sintonizam com nossos pensamentos.

Já sabemos que o espírito é imortal e que, após a morte do corpo físico, prossegue a sua trajetória no plano espiritual, como ser espiritual que é. Assim, todas as capacidades ou potencialidades do indivíduo não se perdem porque pertencem ao espírito.

A mente não está no cérebro físico, embora esse lhe seja a sede material de sua manifestação na carne. Deduz-se, pois, que a inteligência, a memória, a razão, os sentimentos e tudo o mais são atributos do espírito que, a cada existência na Terra, ou seja, a cada reencarnação, reveste um novo corpo, como uma nova veste, trazendo consigo o imenso acervo moral, intelectual e espiritual, adquirido ao longo de sua caminhada evolutiva.

Aqueles que apresentam dificuldades e limitações intelectuais estão, momentaneamente, bloqueados nesse campo, por necessidade do próprio espírito de se desenvolver em outra área, mas de maneira alguma diminuídos em seus atributos, dotados por Deus a todos os seus filhos.

É bom saber, a essa altura, que todos nós fomos criados iguais, consoante informa *O Livro dos Espíritos*, na resposta à questão apresentada por Allan Kardec que é, por excelência, aquela **pergunta que não quer calar:**

> ***P: Os Espíritos, uns terão sido criados bons e outros maus?***
>
> *R: Deus criou todos os Espíritos simples e ignorantes, isto é, sem saber. A cada um deu determinada missão, com o fim de esclarecê-los e de os fazer chegar progressivamente à perfeição, pelo conhecimento da verdade, para aproximá-los de si. Nesta perfeição é que eles encontram a pura e eterna felicidade. (questão 115).* [72]

Nesta sábia e esclarecedora resposta dos Espíritos Superiores está implícito um vastíssimo conjunto de ensinamentos: a justiça divina, que é equânime para todos os seres humanos; a Lei de Evolução e progresso; a destinação para a felicidade e o amor de Deus, que não privilegia a nenhum de seus filhos.

A trajetória evolutiva da Humanidade, toda a saga do

[72] Allan KARDEC, *O Livro dos Espíritos.*

ser humano, desde os tempos primitivos, não está perdida. Muito acima e à frente dos livros de história e geografia está o grandioso compêndio da memória cósmica. Esse acervo prescinde de nossos mais sofisticados aparelhos de gravação, os que existem hoje e, talvez, os que existirão no futuro. Abre-se para nós, portanto, a certeza de que existe um fantástico acervo mnemônico registrado nos anais espirituais do nosso planeta.

Nosso querido amigo, o ilustre escritor espírita, Hermínio Miranda, em um dos capítulos de seu excelente livro *Reencarnação e Imortalidade*, referindo-se a esse acervo espiritual, menciona:

> *Há, porém, registros indeléveis e muito vivos de acontecimentos do passado mais remoto, na memória dos seres que os presenciaram. Essa fonte inesgotável de consulta acha-se praticamente inexplorada, a não ser por alguns autores desencarnados. Podemos admitir, e esperar, no entanto, que um dia a História da Humanidade será toda reescrita dentro dessa concepção historiológica, colhendo-se nas fontes autênticas o testemunho sereno daqueles que se incumbiram de tarefas memoráveis. Espero merecer a honra e a alegria de trabalhar nessa equipe de levantamento da crônica humana, porque sou daqueles que vêem na História a presença inequívoca de Deus e, por isso, também a importância das lições que elas encerram, para me-*

lhor entendimento do presente e mais lúcida projeção do futuro.

Se tirássemos melhor proveito dos ensinamentos contidos no passado, mais breve seria nossa redenção espiritual, que é o objetivo supremo da História, ponto onde convergem as metas individuais e as coletivas. [73]

A fim de melhor compreendermos essa notável peculiaridade do Universo, transcrevemos a seguir a palavra de um Espírito Superior e de grande sabedoria, **Stafford** que se comunicava através da médium inglesa Elisabeth d'Espérance, tal como narra Ernesto Bozzano, em seu livro *Os Enigmas da Psicometria*:

No decurso de uma sessão, ele (Stafford) dirige a palavra a um cientista presente, uma chusma de perguntas, no intuito de lhe impossibilitar a réplica, e, de repente, saiu-lhe com esta:

— Que é o Éter?

— Ignoro-o, disse-lhe o sábio, mas, conforme as induções científicas ele é quase o Nada...

Um nada, porém, que, quando analisado de perto, assemelha-se ao Todo.

Então, Stafford prosseguiu:

Se tentássemos remontar às origens do Universo, nada encontraríamos que escapasse à aplicação da vossa

[73] Hermínio C. MIRANDA, *Reencarnação e Imortalidade.*

conclusão: não mais a matéria, mas o que lhe constitui o elemento originário: o Nada da matéria, um Nada infinitamente mais maravilhoso, mais poderoso, grandioso e sublime do que o Universo material que ele produziu.
Efetivamente está nesse Nada a potência criadora do Céu e da Terra, de tudo enfim; uma potência que o mais elevado intelecto humano é incapaz de compreender e ao qual já se conferiram muitos nomes [...].
O último, inventado pelos sábios, chama-se 'Vontade Cósmica'. Outros, menos eruditos, contentam-se em chamar-lhe familiarmente – DEUS. [74]

Imprescindível esclarecer que, de acordo com o texto acima, o Éter se confunde com Deus, a fim de ser evidenciado a presença em tudo, do pensamento divino. Há, porém, uma ideia que sugere ser o chamado Éter, nada mais nada menos, do que a matéria cósmica universal, denominada pela ciência de matéria escura do universo. Pelo sim, pelo não, sabemos que todas as coisas, todos os seres, todo o Universo, enfim, está "mergulhado nesse majestoso oceano divino".

Essa realidade possibilita a interconexão entre tudo e todos, levando-nos a entender que possa haver um **dossiê** particular de todas as criaturas, como igualmente de toda a Natureza em seus incalculáveis aspectos.

[74] Ernesto BOZZANO, *Os Enigmas da Psicometria*, p. 109.

Isso não causaria estranheza, pois a cada dia se desvenda, com mais amplitude e profundidade, os arcanos até então insondáveis, da mente humana, isto é, do espírito.

Os Poderes da Mente [75] – tal como escrevi no meu livro com este título – são incalculáveis, apenas começamos a levantar a ponta do véu que encobre a realidade maior do que somos.

Vamos entrar agora em um mundo surpreendente: o mundo da psicometria. Um território onde a mente tem um desempenho superinteressante.

Você, amigo leitor, amiga leitora, já ouviu a palavra psicometria? E tem mais, quem exerce a psicometria são os psicômetras; temos também a expressão *objetos psicometrados* e outros termos derivados, que aos poucos surgirão no decorrer dessas páginas.

Tudo o que você vai ler, como tudo o que escrevo são realidades comprovadas. Para alcançarmos essas novas ideias importa ampliar nossa visão de mundo e buscarmos a transcendência que existe além da matéria e dos sentidos físicos.

Vamos adentrar, ainda que por pouco, à realidade espiritual.

Afinal, nada será causa de espanto, pois a Espiritualidade é a nossa verdadeira pátria. De lá viemos e para lá retornaremos. Por que negar isto?

---

[75] Suely C. SCHUBERT, *Os Poderes da Mente.*

Capítulo 12

Psicometria: conexão com a memória cósmica

Penetrai a alma das coisas.
Wordsworth [76]

Por mais dura que seja a rocha sobre a qual estamparemos os passos, a última leva da multidão lerá nela traços dos vanguardeiros.
Carlyle [77]

M*EMÓRIA* C*ÓSMICA* [78] é o título do livro de Hermínio Miranda, lançado no final do ano de 2008. Obra interessante, profícua em explicações, de agradável leitura – características do estilo desse renomado escritor, apresentando várias comprovações acerca da psicometria.

---

[76] William Wordsworth (1770 -1854) – Poeta inglês.
[77] Thomas Carlyle (1795-1881) – Ensaísta e historiador.
[78] Hermínio C. MIRANDA, *Memória Cósmica.*

Miranda comenta, em sua obra, a respeito de um livro escrito em meados do século XIX. Pode-se dizer um livro antigo, conforme o catalogariam os leitores modernos. Mas é uma dessas obras adiante do tempo, dessas que tratam de temas universais, bastante enigmáticos ainda, porém extremamente interessantes que despertam a atenção.

Afinal, que livro é esse? *A alma das coisas (The soul of things)*, de William Denton, que teve sua reedição em 1988, pela The Aquarium Press, Northhamptonshire, Inglaterra, agora com um subtítulo – "psychometric experiments for re-living history". Inicialmente Miranda pensou traduzi-lo, contudo, decidiu comentá-lo em certas passagens e, especialmente, explicá-las por meio da contribuição espiritual e espírita do tema.

Denton nasceu em Darlington, na Inglaterra, em 1823. Emigrou para os Estados Unidos aos 25 anos de idade e permaneceu em Cincinatti, Ohio. Ali se casou com Elizabeth Foote e se mudou para Dayton, Ohio, onde se tornou diretor de um colégio. Sua paixão intelectual era a geologia. Por essa época tomou conhecimento de um artigo de um jovem doutor, Joseph Rhodes Buchanan, que em Cincinatti realizava experiências acerca de psicometria, com seus alunos, no Eclectic Medical Institute.

Ele embrulhava amostras de várias substâncias químicas e metais em papel opaco e pedia aos alunos que tentassem identificar o material contido nos embrulhos, tocando-os apenas com a ponta dos dedos. Muitos deles foram, extaordinariamente, bem-sucedidos nessas experiências.

Buchanan procurava explicar o fenômeno em termos ditos 'científicos', dizendo que ocorriam porque nossos nervos emitiam uma vibração elétrica, que deu o nome de "aura nervosa".

Informa Hermínio Miranda, no livro sob nosso enfoque, que foi Buchanan quem 'batizou' a nova ciência de **psicometria**, termo que considera inadequado, pois não há como *medir* o psiquismo ou alma; contudo, o termo foi aceito pelo meio científico e é usado até hoje.

Muito bem, voltemos ao livro de Denton, que registra em suas 370 páginas, casos de psicometria, ocorridos em inúmeras experiências por meio de sua própria esposa e de sua irmã, ambas notáveis psicômetras. Não nos esqueçamos, porém, de que esta obra *A alma das coisas* é a comentada por Hermínio Miranda em *Memória Cósmica,* que por minha vez, estou comentando neste capítulo.

Mas, afinal, o que é a psicometria? É uma faculdade anímica que possibilita àqueles que a possui a condição de, ao contato com certos objetos, fazer uma "leitura" ou percepção da história desse objeto. Assim, o psicômetra, mesmo não vendo o objeto, apenas colocando as pontas dos dedos no invólucro que o envolve, é capaz de identificá-lo e dizer com absoluta segurança, de onde veio tal objeto, a quem pertencia, ou em outros casos, se for uma pedra qualquer, relatar em que região estava antes de chegar às suas mãos. Se o objeto pertencia a uma pessoa, é capaz de descrevê-la, perceber os seus sentimentos, descrever o local onde reside e muitos outros detalhes.

Importante aduzir, com Ernesto Bozzano, autor do livro *Enigmas da Psicometria*, [79] que a psicometria é uma das modalidades da clarividência, [80] embora ele mesmo considere que as características próprias da psicometria lhe conferem um caráter tão especial que permite seja considerada à parte.

Em alguns países, como a Inglaterra, psicômetras colaboram com a polícia para encontrar pessoas desaparecidas e esclarecer se estão vivas ou mortas, e em que local estão. No caso de cadáveres, os psicômetras conseguem ver o lugar onde está o corpo e até a sua posição.

Para que isso ocorra é necessário que um objeto de uso particular daquele que está sendo procurado seja apresentado ao psicômetra e este o tenha nas mãos.

O leitor e a leitora já deduziram que os objetos guardam as vibrações daqueles que os manusearam e, em outras condições, vibrações da própria natureza, da região de que são originários.

É uma bela e rara faculdade essa.

Quando menciono ser a psicometria uma faculdade anímica, proveniente da própria alma do psicômetra, desejo

[79] Ernesto BOZZANO, *Enigmas da Psicometria*, p. 65 a 66.

[80] Clarividência: visão a distância. A clarividência será abordada no cap. 14.

ressaltar que este não precisa necessariamente ser médium ostensivo [81], contudo, a psicometria pode **ser, em determinadas circunstâncias, uma faculdade também mediúnica.** [82]

De qualquer forma, em uma ou em outra expressão em que se apresente, a psicometria requer ainda maior aprofundamento nessas explicações que estou endereçando ao leitor, que talvez esteja se questionando, por exemplo: Como o indivíduo que tem essa aptidão vê a história dos objetos? Como vê um cadáver e relata até a posição em que se encontra?

Vamos por partes.

Duas são as premissas que nortearão esta resposta.

Primeiramente, é incontestável que existe uma memória cósmica, conforme vimos falando ao longo desses capítulos.

A segunda premissa ainda não foi mencionada. É o que vamos abordar agora.

O perispírito

Dentre as capacidades daqueles que são psicômetras, uma é fundamental. É a capacidade que têm algumas pes-

[81] Médium ostensivo: aquele em que a faculdade mediúnica se mostra bem caracterizada.

[82] Isto ocorre quando há a presença de um espírito desencarnado junto ao psicômetra.

soas de se deslocarem não somente no espaço, mas também no tempo, rumo ao passado, ou seja, a uma época que, teoricamente, não mais existe.

Para que isso seja possível é necessário entender o espírito que somos, cada um de nós possui um corpo espiritual que sobrevive ao corpo carnal.

Imaginemos o seguinte: uma pessoa que é médium vidente – e talvez nem tenha noção de que o seja – um dia leva um susto porque começa a ter visões de seu pai que já morreu há tempos. Ela o vê nitidamente e é capaz de descrever como está vestido, até mesmo captar sensações que ele exterioriza, isto é, seu estado de ânimo, se está triste, aflito, sereno, alegre, etc.

É um espírito desencarnado, mas que se apresenta com toda a aparência de quando estava encarnado. O rosto, as mãos, a fisionomia, as roupas, enfim, o corpo é o mesmo. Como isto é possível? Ele tem então um outro corpo? Como se explica isto?

Sim, ele tem outro corpo. É o corpo espiritual, ou perispírito, em linguagem espírita. É um corpo fluídico que reveste o espírito.

Perispírito (do gr. **peri**, em torno e do lat. **spiritus,** alma,espírito) é o envoltório sutil e perene da alma, que possibilita sua interação com os meios espiritual e físico.

Vejamos como Allan Kardec trata dessa importante questão, em *O Livro dos Espíritos:*

P: O Espírito propriamente dito tem alguma cobertura, ou, como pretendem alguns, está envolvido numa substância qualquer?
R: O Espírito está envolvido por uma substância que é vaporosa para ti, mas ainda bastante grosseira para nós; suficientemente vaporosa, entretanto para poder elevar-se na atmosfera e transportar-se aonde queira. [83]

A existência do perispírito não é nenhuma novidade, pois já era conhecido desde a Antiguidade, sob diversas denominações, ao longo do tempo.

Mano, maya, kosha, na Índia védica; *kha ou bai,* entre os sacerdotes egípcios; *rouach,* na Cabala; *kama-rupa,* no Budismo; *eidolon, okhema,* entre os gregos; *khi,* na tradição chinesa; *corpo astral,* entre os hermetistas, alquimistas, esoteristas e teosofistas; Paracelso o chamou de *corpo siderio;* Leibniz por *corpo fluídico.*

Em Paulo, o apóstolo dos gentios, encontramos referências claras e precisas, conforme escreve em sua primeira epístola aos Coríntios, 15:40 e 44, a saber: *E há corpos celestes e corpos terrestres, mas uma é a glória dos celestes e outra a dos terrestres.*

Semeia-se corpo animal, ressuscitará corpo espiritual. Se há corpo animal, há também corpo espiritual.

[83] Allan KARDEC, *O Livro dos Espíritos.*

O espírito André Luiz, através da psicografia de Francisco Cândido Xavier, denomina-o de *corpo espiritual ou psicossoma.*

As pesquisas a respeito desse corpo fluídico prosseguem. Na parapsicologia é nomeado por *campo estruturador da forma,* ou *corpo energético.* O cientista espírita, já desencarnado, Dr. Hernani Guimarães Andrade criou o termo *modelo organizador biológico (MOB).*

Léon Denis, esclarecendo o assunto informa:

> *A alma está, durante a vida material, assim como depois da morte, revestida constantemente de um envoltório fluídico, mais ou menos sutil e etéreo, que Allan Kardec denominou perispírito ou corpo espiritual.*
>
> *Como participa simultaneamente da alma e do corpo material, o perispírito serve de intermediário entre ambos: transmite à alma as impressões dos sentidos e comunica ao corpo as vontades do Espírito.*
>
> *No momento da morte, destaca-se da matéria tangível, abandona o corpo às decomposições do túmulo; porém, inseparável da alma, conserva a forma exterior da personalidade desta.*
>
> *O perispírito é, pois, um organismo fluídico; é a forma preexistente e sobrevivente do ser humano, sobre a qual se modela o envoltório carnal, como uma veste dupla e invisível, constituída de matéria quintenssenciada, que atravessa todos os corpos por mais impe-*

netráveis nos pareçam.

A matéria grosseira, incessantemente renovada pela circulação vital, não é a parte estável e permanente do homem. É o perispírito que garante a manutenção da estrutura humana e dos traços fisionômicos, e isto em todas as épocas da vida, desde o nascimento até a morte [...].

Esse corpo fluídico não é, entretanto, imutável; depura-se e enobrece-se com a alma; segue-a através das suas inumeráveis encarnações; com ela sobe os degraus da escada hierárquica, torna-se cada vez mais diáfano e brilhante para, em algum dia, resplandecer com essa luz radiante de que falam as Bíblias (antigas) e os testemunhos da História a respeito de certas aparições. [84]

Relembro aos leitores que os comentários discorridos, neste capítulo, a respeito de psicometria referem-se às pesquisas feitas por Hermínio Miranda, que relata em sua obra *Memória cósmica* as notáveis experiências de psicometria realizadas por William Denton, conforme este as registra, por sua vez, no seu livro *A alma das coisas.*

Retornemos, portanto, ao livro de Hermínio Miranda.

Oportuno enfatizar que Denton, a esposa Elizabeth e a irmã Anne Denton Cridge não admitiam a possibilidade de

[84] Léon DENIS, *Depois da Morte*, p. 174 e 175.

alguma presença espiritual nas inúmeras experiências por eles vivenciadas.

Hermínio Miranda menciona o entusiasmo de Denton, decorrente das descobertas que fizera, sem, entretanto, alcançar a amplitude, a profundidade e as implicações espirituais que a psicometria desdobrava diante dele.

> *Para eles, a nova ciência, como a preferem identificar, é mais do que visitar locais primitivos e tempos remotos. Há um ponto crucial subjacente em tudo aquilo que sequer é mencionado, ou seja, a sempre temida e suspeita doutrina da reencarnação. Por outro lado, a sensitiva (Elizabeth) percebe, nos experimentos, a presença de entidades espirituais, mas não lhe ocorre investigar mais detidamente quem são e o porquê da presença delas. Como parece não ocorrer a Denton questioná-la a respeito. Ainda bem que descobrem ser a psicometria um valioso instrumento de busca nos segredos do tempo, em sua interação com o conceito de espaço. Tanto é assim que Denton destaca, no próprio título, que o livro trata de re-viver a história, mesmo em episódios esquecidos, controvertidos ou totalmente ignorados.*
>
> *A prioridade do professor está em projetar o potencial da psicometria em termos geológicos, econômicos e históricos.* [85]

[85] Hermínio C. MIRANDA, *Memória Cósmica.*

O professor William Denton apresenta em seu livro, 110 experiências de psicometria, muito bem sucedidas. Hermínio Miranda, por sua vez, escolhe dentre elas, apenas nove, que lhe pareceram significativas, embora não tenha sido fácil fazer a seleção, visto que os relatos são extremamente interessantes.

Cabe a mim, agora fazer também uma escolha dentre as tais nove que Hermínio Miranda expõe. Para não me estender demais, selecionei dois relatos, para ilustrar perante os que me honram com sua leitura, casos de psicometria, que aqui estão bastante sintetizados.

Vamos ao primeiro.

"A velha mina de cobre"

Um fragmento de minério de cobre da mina Acton, Canadá Oriental, é apresentado à S^ra.^ Denton, que, todavia, não vira o citado fragmento e nem tivera a menor ideia do que se tratava.

Ela começa a descrever o local de onde veio o objeto, como se ali estivesse. A certa altura diz:

Não sei, mas acho que me encontro em uma mina. Vi uma escada de relance. Estou no subsolo. Há uma luz artificial, creio que de vela. Ainda não sei dizer que tipo de mina é esta. O material não tem a pureza do ouro.

Parece haver dois tipos de metal aqui. Não vejo ambos, apenas um deles e sinto a influência do outro, ainda que me pareça a menor distância.
Há um vapor azulado, meio purpurado que sobe e me causa uma sensação de sufocação. Acho que isto pode ser cobre, mas há algo mais. O vapor parece venenoso. É o que me faz pensar no cobre. Isto aqui é uma jazida de cobre, mas diferente das minas do lago Superior. [...] Eu não aceitaria trabalhar nesta mina. Parece venenosa.
Esta mina deve ter produzido muito cobre. Parece haver um poço cavado em algum lugar aqui. Parece que eles não retiraram todo o minério, mesmo de onde está aberto o acesso a ele [...]
O bloco de minério é muito pontudo e tem de um metro e meio a um metro e oitenta de espessura. Parece localizado a nordeste do local onde trabalharam. Parte desse material é azul, a outra parte é de cor púrpura e ainda outras de coloração esverdeada. Não acho que eu esteja muito profundamente no subsolo. A escavação parece muito grande. [86]

Comentando o resultado da experiência, Denton a relatou para dois engenheiros de mina, familiarizados com as

[86] Hermínio C. MIRANDA, *Memória Cósmica.*

jazidas de Acton, e ambos concordaram que se tratava de descrição muito precisa.

Hermínio Miranda, por sua vez, considerou a descrição da Sra. Denton muito correta, levando-se em conta que ela não sabia nem que a amostra era um minério, e muito menos minério de cobre.

Alguns aspectos, especialmente, são muito interessantes e vale a pena ressaltar, como, por exemplo, a psicômetra sentir-se na própria mina, aspirando ao vapor que lhe dá a impressão de sufocação e, também, a descrição pormenorizada das cores do minério, além do fato de perceber o teor venenoso da mina.

Vejamos uma outra experiência do Professor Denton, verdadeiramente interessante, tal a riqueza de dados e percepções extraídas de um pequeno pedaço da bandeira dos Estados Unidos.

O caso é tão instigante que Hermínio Miranda, ao transcrevê-lo o denominou de:

"Indiscreto testemunho da bandeira"

Observemos as explicações de Denton, aqui resumidas.

Tratava-se de um pedaço de damasco vermelho, que pendia acima da cadeira do presidente da Câmara de Deputados, em Washington, quando a cidade foi tomada pelos britânicos em 1814. A bandeira foi levada para a Inglaterra, posteriormente um recorte do pano foi trazido de volta aos Estados Unidos. E ali estava ele sendo examinado pela S[ra.] Denton que não tinha a menor ideia do que se tratava.

Começa essa, logo em seguida, a dizer que via um salão comprido e o descreve em pormenores. Vê a bandeira colocada em um ponto um pouco mais alto e menciona que aquele recorte fora tirado dela. Depois, com mais clareza, percebe que o local era uma câmara ou assembleia.

Passemos a palavra à sensitiva.

> *A pessoa que vejo agora deposita uma folha de papel sobre a mesa. Levanta algo e o coloca em cima do papel [...]. Há algo muito divertido agora em discussão. Há pouco tempo estavam todos com ar sério. Parece que eles mudam como o tempo em abril. Alguns deles demonstram interesse muito grande pelo assunto, mas percebo que a sinceridade deles é mero fingimento. Falam com muita loquacidade, mas é pura conversa da boca para fora. É uma coisa repugnante contemplá-los. Parece haver uma galeria e as pessoas que lá estão não tomam parte ativa no que se passa lá embaixo. Mas ouvem com atenção. Outros se divertem, enquanto ainda outros olham tudo com admiração.*
>
> *Grande multidão está lá fora. Deve ser alguma manifestação política, comemoração ou coisa parecida. Vejo mestres de cerimônia. Há uma plataforma e nela vários*

oradores e uma grande bandeira ao lado. Vejo que tem listas brancas e vermelhas [...]. Penso tratar-se do edifício de um congresso estadual ou, talvez federal. [87]

Comentários de Denton diante desse relato:
Nem imaginavam os membros daquela casa que o estandarte pendente acima da cadeira do presidente era observador tão atento do que ali se passava. Que ele registra o ocorrido com maior precisão do que o escriturário e lê seus corações com um olho que tudo vê. Não imaginavam os presentes estar sendo documentada para o futuro sua maliciosa hipocrisia. A despeito de enganar os demais companheiros e de receber os aplausos da multidão, por sua mercenária eloquência, o oscilante estandarte lia na mais profunda intimidade de todos, preparando-se para transmitir ao futuro um fiel testemunho de suas verdadeiras condições. Quantas nuvens de testemunhas nos cercam por todos os lados por todo o tempo!
(Todos esses dados extraídos do livro *Memória Cósmica).*

E não são estes dois casos acima citados exemplos decisivos de memória cósmica? E também que estamos, de alguma forma, interconectados no tempo e no espaço? Que

[87] Hermínio C. MIRANDA, *Memória Cósmica.*

tudo está em tudo? Que são enigmáticas essas ocorrências e que há muito a desvendar? Não é o que nos diz o próprio Universo?

Mas, ainda tem mais, estimado(a) leitor(a).

Psicometria de ambientes

Na literatura espírita clássica encontramos uma obra notável, de autoria do renomado cientista e pesquisador Ernesto Bozzano, *Os enigmas da psicometria*, [88] que será objeto de nossa atenção, a partir desse instante.

Bozzano analisa o fenômeno da psicometria incluindo-o como um dos tipos de mediunidade, entendendo que grande parte dos que possui essa faculdade são médiuns.

Na parte final deste capítulo apresento os comentários sobre o tema.

Um dos aspectos extremamente interessante dessa rara faculdade refere-se à psicometria de ambientes.

Dentre outros casos, Bozzano registra o ocorrido em 1904, tendo como sensitiva a S[ra.] Katerine Bates, esclarecendo ser ela autora bem conhecida de várias obras apreciadas nos meios espiritualistas.

Com a palavra Katerine Bates, cujo relato está abaixo sintetizado em alguns pontos:

[88] Ernesto BOZZANO, *Enigmas da Psicometria*, p. 65.

Há alguns anos já que comecei a ser penosamente influenciada pela atmosfera psíquica das alcovas, o que constitui, para mim, que viajo constantemente, pernoitando aqui e acolá, um grave inconveniente.

Aconteceu-me, mais de uma vez, ter de deixar um quarto de hotel, belo e confortável, por outro pequeno e escuro, isto por se me tornar insuportável a atmosfera mental ou moral gravada no ambiente por qualquer dos seus ocupantes anteriores.

No meu caso, penso que, em regra, a "aura" por mim percebida não é a do último hóspede e ainda não me foi possível formular uma teoria satisfatória, relativamente ao princípio seletivo pelo qual são determinadas essas percepções [...].

Estou, assim, inclinada, a crer que algumas faculdades do caráter são, mais que outras, registráveis, e que se liga a existências, nas mesmas qualidades, de um quantitativo maior de "magnetismo pessoal", termo que emprego à falta de melhor expressão [...].

Quanto a mim, tenho notado que a impressão mais nítida e mais profunda, recebida em semelhantes circunstâncias, provém dos casos de ativa sensualidade.

Mas, ainda bem que os sensitivos são também aptos a perceber as impressões puras e elevadas, depositadas nos ambientes, notando-se, porém, que estas são de natureza muito mais genéricas.

Após estas considerações, Katerine comenta o que vivenciou quando se hospedou em casa de uma amiga, a Sra. M..., e ocupando um espaçoso e belo quarto. Passemos novamente, a palavra a ela.

> *Desde a primeira noite, percebi que aquele cômodo estava misteriosamente saturado da influência de um homem.*
>
> *O que me revelava essa influência era uma forte sensualidade, de criatura não má, mas apenas fraca e inteiramente entregue às circunstâncias e aos seus pendores hereditários, à falta de poderes inibitórios.*
>
> *O conjunto de impressões foi, contudo, tão pronunciado, que me dispus a iniciar um inquérito a respeito.*

Revela a sensitiva, a seguir, que sua amiga tinha dois filhos no Exército; um deles ela já o conhecia e não tinha nada em comum com o ocupante do quarto; outro, o mais velho, jamais o vira. Pediu, então, à amiga uma foto deste, para conhecê-lo, pois ele se encontrava nas Índias. Analisando o retrato sentiu-se liberta da ansiedade moral que a dominava, supondo que o enigma prosseguiria sem solução.

Katerine prossegue com a palavra.

> *Minha amiga tinha ideias preconcebidas quanto às faculdades humanas supranormais, julgando-as puramente imaginárias. Eis porque me atirava indiretas irônicas, referentes ao inquérito que qualificava de 'uma*

das minhas habituais fantasias'.

Então, disse-lhe: — 'Agora que tive a prova de que não se trata do seu filho, vou descrever minuciosamente o caráter do indivíduo que ocupou esse quarto'.

Quando terminei minha exposição, a Sra. M... fitou-me grandemente admirada, e, retirando-se para o quarto contíguo, de lá regressou com o retrato de um cavalheiro para mim estranho, e mo entregou, dizendo: '— Confesso que você acabou de descrever exatamente este meu cunhado, que, de fato, muitas vezes ocupou esse quarto, se bem que meus filhos o fizessem depois dele'.

Analisei, então o retrato e reconheci nele o 'tipo' de homem que se havia revelado de modo tão evidente pela psicometria. [89]

Analisando o caso acima e outros semelhantes, em que as percepções dos sensitivos são de natureza genérica quanto ao hóspede de um quarto, Bozzano conclui não se tratar de comunicações estabelecidas entre o sensitivo e a pessoa referida. Admite, então, que o sensitivo capta diretamente impressões da "influência" deixada no local pela pessoa que ali esteve.

Neste caso, assinala o autor, que *preciso fora admitir que, mobiliário, paredes, assoalho, teto, todo o quarto, enfim,*

[89] Ernesto BOZZANO, *Enigmas da Psicometria.*

possuem a virtude de receber e conservar os eflúvios vitais dos seres, ou as vibrações psíquicas correspondentes à atividade funcional de seus respectivos sistemas cerebrais.

A conclusão de Ernesto Bozzano a respeito da possibilidade de os objetos conservarem as influências vibratórias daqueles que os manuseavam é também a conclusão a que chegou o Professor Denton, decorrente das experiências por ele realizadas, graças à faculdade de psicometria de sua esposa e de sua irmã. No que concorda nosso amigo Hermínio Miranda quanto a essas influências vibratórias dos objetos e lugares.

Acerca da psicometria de ambientes não se pode deixar de citar a médium Yvonne A. Pereira, já desencarnada. Ela viveu interessantes experiências de psicometria, espontâneas, sem que fossem propriamente pesquisas direcionadas.

Uma fazenda de escravos

Narra Yvonne A. Pereira, em seu livro *Devassando o Invisível,* muitas de suas preciosas experiências mediúnicas, revelando-nos em suas páginas aspectos surpreendentes das próprias dimensões da mediunidade.

Yvonne A. Pereira, médium querida e respeitada no meio espírita, em nosso país e no exterior deixou várias obras por ela psicografadas, ressaltando o magistral livro

Memórias de um suicida, que tantos benefícios têm propiciado àqueles que o leem, pelas lições inigualáveis que apresenta no tocante aos sofrimentos decorrentes do suicídio e suas repercussões no mundo espiritual. Trata-se, pois, de uma obra de cunho profilático – se é que assim podemos denominá-la, e que consiste em verdadeiro clamor da vida.

Dentre os casos registrados nessa obra, selecionei um que retrata uma de suas experiências de psicometria de ambientes, aqui sintetizado.

Certa ocasião, Yvonne A. Pereira foi visitar uma amiga da família, cuja residência muito antiga datava do Segundo Império. Localizada no subúrbio do Rio de Janeiro, apresentava-se como uma chácara já arruinada. Ali a médium hospedou-se por seis dias, tendo vivido uma experiência inusitada.

Logo na primeira noite não conseguia dormir, visto que o local se apresentava à sua percepção, totalmente transformado.

Ali, anteriormente, fora uma fazenda de escravos.

Yvonne Pereira passou a ver as cenas típicas da escravatura: a fazenda antiga, as senzalas, os milharais, o canavial, a movimentação cotidiana, tudo acompanhado do cântico dolente dos escravos, que ela via carregando pesados cestos, feixes de lenha, trabalhando nas enxadas, etc. Dentro da casa via a grande cozinha onde uma escrava, trajando saia preta, camisa de algodão cru e lenço na cabeça, mexia, com enorme colher de pau, um grande tacho de cobre, sobre um fogão de pedras e tijolos.

Deixemos, agora, com Yvonne Pereira a narração:

> *E vimos um velho escravo atado ao pelourinho pelos pulsos, para o suplício do chicote, o qual chorava e gemia angustiadamente, invocando o socorro divino: – 'Meu Deus do Céu! Meu Anjo da Guarda! Tenham dó de mim' – enquanto se repetiam os estalidos do chicote, acionado pelo capataz.*
>
> *E surpreendemos ainda, cremos que perfeitamente materializada, e não retratada nas ondas etéricas, uma dama de aspecto senhorial: esbelta e bonita, com longos e amplos vestidos em tafetá azul-forte, cabelos muito negros e luzidios, penteados com esmero, brincos de pingentes de ouro, tão compridos que lhe iam quase aos ombros, colar amarelo reluzente, como de ouro, um laço de veludo negro ornando o topete dos cabelos.*
>
> *E até mesmo o ruge-ruge do tafetá e das saias engomadas ouvimos, quando de suas idas e vindas pela casa, passando por nós como se tratasse de uma pessoa. Tais cenas e movimentação, no entanto eram confusas, como incrustadas umas nas outras, sem sequência lógica ou enredo previsto.* [90]

[90] Yvonne A. PEREIRA, *Devassando o Invisível*, p. 191.

A amiga, que compartilhava as ideias espíritas, ao ouvir o relato de Yvonne Pereira, esclareceu: – *Esta chácara foi uma fazenda de escravos, ao tempo do Império. Ainda existem nos fundos do quintal, as ruínas de um pelourinho.* Em seguida levou a médium a uma pequena elevação situada nos fundos do extenso terreno, onde ela constatou os restos da coluna onde eram amarrados os escravos para serem açoitados.

As experiências de Yvonne Pereira, nesse maravilhoso campo da psicometria, que estão registradas em alguns de seus livros, deixam-nos a impressão de que ela não expressava ocorrências mediúnicas e, sim, seu potencial anímico. Entretanto, não me atrevo a afirmar que seja isso ou aquilo, pois, a própria Yvonne Pereira afirma: *Oh! Que estranhos poderes existem latentes nos arcanos da nossa personalidade espiritual, para que os segredos que os séculos guardaram nos sejam assim revelados?*

Tinha razão o Prof. Bozzano, ao afirmar que **o mistério que envolve a psicometria é desorientador...** (grifo no original)

Capítulo 13

Telepatia: conexão com outra mente

Na nova visão de mundo, o universo é concebido como uma teia dinâmica de eventos inter-relacionados.
Fritjof Capra [91]

VOCÊ JÁ OUVIU FALAR EM TELEPATIA, penso eu. Não é assim um assunto habitual, mas acredito que você já tenha lido algo a respeito, ou visto em algum filme, etc.

Em grupos de pessoas em que são tratados assuntos ligados à mente, à psi, o tema pode até ser recorrente.

Hoje se estuda muito mais as funções da mente humana, suas notáveis potencialidades que aos poucos vão sendo descobertas. Pesquisas incontáveis estão sendo realizadas em diversos países.

Quando se fala em telepatia logo vem à lembrança a questão da capacidade de algumas pessoas de, com a força

[91] Fritjof CAPRA, *O Tao da Física: Um paralelo entre a física moderna e o misticismo oriental.*

mental, movimentar objetos, entortar talheres, parar o funcionamento de um relógio, embora estes sejam fenômenos denominados de psicocinesia e não de telepatia.

Telepatia refere-se à comunicação mental entre pessoas, que pode ocorrer espontaneamente, com naturalidade; é aquele momento em que uma pessoa diz à outra: — "Você captou o meu pensamento, era isso que eu ia dizer".

A telepatia tem sido objeto de pesquisas. Experiências são feitas nesse sentido, com a finalidade de se alcançar um melhor conhecimento do nosso potencial mental. Essas experiências obedecem a critérios científicos modernos, como por exemplo, colocando-se dois indivíduos em locais distantes, e em uma hora determinada, um deles emite uma mensagem, um pensamento qualquer que os pesquisadores escolhem previamente, sendo captado pelo outro – o que é registrado por aparelhos sensíveis e adaptados para o tipo de experimento, obtendo-se resultados plenamente satisfatórios, conforme inúmeras estatísticas publicadas.

Nos últimos tempos tais pesquisas intensificaram-se. Obras têm sido publicadas enfocando os poderes da mente e despertando o interesse do público em geral.

Abordaremos a seguir algumas opiniões de cientistas e pesquisadores para depois entrarmos no vastíssimo campo da espiritualidade.

Atualmente, um dos livros que trouxe maior contribuição a respeito dos fenômenos psíquicos é o de autoria do ilustre cientista Dr. Dean Radin, *Mentes Interligadas – Evidências científicas da telepatia, da clarividência e de outros fenômenos psíquicos*, que a seguir comentaremos.

O Dr. Radin ressalta nessa obra a opinião, hoje predominante no paradigma da física quântica, de que tudo no Universo está entrelaçado. Alguns cientistas chegam a propor que todo o Universo seja um único objeto totalmente entrelaçado consigo mesmo.

Observemos o que o Dr. Radin diz a respeito:

Se essas especulações forem corretas, como seria a experiência humana dentro de um Universo assim interligado? Sentiríamos, de vez em quando, experiências místicas concretas de ligação emocional com pessoas amadas, mesmo a distância? Essas experiências evocariam uma sensação de assombro diante da percepção de que, na realidade, existe muito mais do que nosso raciocínio e o senso comum implicam? Poderiam 'mentes entrelaçadas' estarem envolvidas quando se escuta tocar o telefone e de algum modo já se sabe – instantaneamente – quem está chamando? Se, de fato, passamos por tais experiências, essas poderiam ser devidas a informações reais que, de algum modo, passam despercebidas por nossos costumeiros canais sensoriais ou esses relatórios inexplicados são melhor entendidos como meras coincidências ou ilusões? [...]

A ciência ainda se encontra nos estágios mais iniciais da

> *compreensão do entrelaçamento e existe muito para se aprender. No entanto, o que vimos até hoje nos confere uma nova maneira de pensar a respeito dos fenômenos psíquicos. As experiências psíquicas não são mais consideradas como o resultado de talentos humanos raros, dotes divinos ou 'poderes' que, como num passe de mágica, transcendem os limites físicos. Em vez disso, os fenômenos psíquicos demonstram ser consequência inevitável da existência de uma realidade física interconectada e entrelaçada.*
>
> *O psíquico é reemoldurado do arcabouço de uma anomalia bizarra que não se encaixa no mundo normal – motivo pelo qual é rotulado* **paranormal** *–, para o contexto de um fenômeno natural a ser estudado pela física.* [92]

Uma pergunta absolutamente pertinente, nesse instante é: Mas, afinal, por que essa ideia de entrelaçamento surgiu?

A resposta também foi extraída do livro do Dr. Radin. Ele cita que o primeiro a fazer essa descoberta foi o cientista Erwin Schrödinger, um dos fundadores da teoria quântica, que usou a palavra "entrelaçamento" como referência às conexões entre partículas separadas, mas que persistiam apesar da distância.

[92] Dean RADIN, *Mentes Interligadas: Evidências científicas da telepatia, da clarividência e de outros fenômenos psíquicos.*

Esclarece o Dr. Dean Radin que:

Essas conexões são instantâneas [...] e implicam, em níveis muito profundos, separações que vemos entre os objetos isolados que são, em certo sentido, ilusões criadas pelos limites de nossas percepções. O resultado final é que a realidade física se encontra interconectada de maneiras que apenas começamos a entender. [93]

O livro do Dr. Dean Radin nos interessa, particularmente, por tratar dessa nova visão de mundo, essa nova maneira de entender a vida como algo que transcende os limites da concepção mecanicista e, mais do que isso, pois abre uma perspectiva de infinitas possibilidades para o ser humano.

Esse o caminho natural e mais próximo já conquistado até o presente para se chegar à conclusão de que todos somos espíritos imortais, filhos do mesmo Pai, que é Deus ou que nome tenha, formando, portanto, a família universal e, em decorrência, interconectados em uma dimensão cósmica para todo o sempre.

A obra expõe a ideia da psique como "mentes entrelaçadas", trazendo exemplos de experiências psíquicas na vida real e em ambientes de laboratórios. Faz, também, um levantamento dos resultados de milhares de testes labora-

---

[93] Dean RADIN, *Mentes Interligadas: Evidências científicas da telepatia, da clarividência e de outros fenômenos psíquicos.*

toriais controlados, além de derrubar alguns mitos criados pelo ceticismo.

Como podemos ver as conclusões do Dr. Radin nos interessam muito e vêm ao encontro de nossos propósitos, neste livro que você está lendo, que é o de demonstrar a presença da espiritualidade e dos espíritos na vida de todos os seres humanos.

Dr. Radin registra também as pesquisas e conclusões do renomado psicólogo William James, da Universidade de Harvard, que se dedicava há mais de 20 anos aos estudos dos fatos psíquicos, tendo, portanto, uma visão bastante avançada acerca da telepatia.

William James, em 1909, escreveu:

Há 25 anos tenho estado em contato com a literatura sobre as pesquisas psíquicas e conheço pessoalmente numerosos 'pesquisadores'. Também gastei um número considerável de horas [...] testemunhando (ou tentando testemunhar) esses fenômenos. Todavia, teoricamente, não me encontro 'mais além' do que me achava no começo; e confesso que, em certos momentos, estive tentado a acreditar que o Criador pretendeu que este departamento da Natureza permaneça incompreensível para espicaçar nossas curiosidades e esperanças e suspeitas, todas em igual medida, a fim de que, embora fantasmas e clarividências e batidinhas e mensagens de espíritos sempre pareçam existir e nunca possam ser totalmente descartados, também nunca sejam susceptíveis de corroboração completa.

Continuando em sua explanação acerca desses fenômenos, o Dr. Radin cita que, quase um século depois das observações de William James e após um quarto de século de estudos intensivos, dois pesquisadores da Universidade de Princeton, Robert Jahn e Brenda Dunne apresentaram uma conclusão semelhante à de William James: *No fim do dia, somos confrontados com um arquivo de dados irregulares e irracionais, porém incontestáveis, que testifica quase diabolicamente a nossa permanente falta de compreensão da natureza básica desses fenômenos.* [94]

Embora o Dr. Radin admita e proponha explicações dos fenômenos psíquicos ele reconhece, ao mesmo tempo, a dificuldade de um aprofundamento maior acerca deles. Toda a sua teoria está fundamentada nas funções do cérebro e da mente em correlação com o entrelaçamento universal, postulado pela física quântica.

A propósito, ele ressalta a ideia do filósofo francês e laureado Nobel, Henri Bérgson, que em discurso proferido perante a Sociedade para Pesquisa Psíquica de Londres, em maio de 1913, assim se expressou:

Se a telepatia for um fato real, é possível que esteja

[94] Dean, RADIN, *Mentes Interligadas: Evidências científicas da telepatia, da clarividência e de outros fenômenos psiquicos.*

> *operando a cada momento e em toda parte, mas com intensidade fraca demais para ser percebida, ou então, que esteja operando na presença de obstáculos que lhe neutralizam os efeitos no mesmo instante em que se manifesta. Produzimos eletricidade a todos os momentos, a atmosfera está continuamente carregada de eletricidade, movimentamo-nos por meio de correntes magnéticas, milhões de seres humanos viveram durante milhares de anos sem suspeitar da existência da eletricidade. Pode ser a mesma coisa com referência à telepatia.* [95]

Encerrando neste capítulo, os meus comentários a respeito do livro do Dr. Dean Radin, passo a ele a palavra:

> *Minha percepção sobre esse impasse é que a psi ainda é um fenômeno à frente de seu tempo e que a ciência o está alcançando de forma muito lenta [...]. Em algum momento, no futuro, evoluirá uma nova disciplina para estudá-la. Dentro dessa disciplina surgirão modelos que fornecerão explicações cada vez mais plausíveis para as experiências psíquicas.* [96]

Esta obra é de grande importância, caros leitores,

[95] Henri Louis Bérgson (1859-1941) – Filósofo e diplomata francês. Prêmio Nobel de Literatura em 1927.

[96] Dean RADIN, *Mentes Interligadas: Evidências científicas da telepatia, da clarividência e de outros fenômenos psíquicos.*

possibilitando-nos conhecer o que há de mais moderno no pensamento científico atual em relação aos fenômenos psíquicos e, apresentando também valioso relato histórico acerca desses fenômenos, através dos tempos e de como está se processando uma nova maneira de pensá-los.

Tudo se tornaria muito mais fácil se fosse admitida a existência do espírito.

Entrando agora na dimensão infinita da espiritualidade, o primeiro a quem vamos dar a palavra é Léon Denis, conforme sua magnífica abordagem no seu livro *O problema do ser, do destino e da dor.*

Denis esclarece que a telepatia é a projeção à distância do pensamento ou mesmo da imagem de uma pessoa. Ele afirma que as projeções telepáticas não comportam limites, visto que o poder e a independência da alma nelas se revelam soberanamente, porque o corpo nenhum papel representa no fenômeno.

Registra também várias pesquisas científicas realizadas durante anos por ilustres cientistas que confirmaram a realidade da telepatia. A partir daí, Denis faz uma ilação importante, transcrita a seguir:

> *Assim, a objetividade da alma, com a sua forma fluídica* [97] *manifestando-se em pontos afastados daquele onde o corpo se acha em descanso, está demonstrada*

[97] Alusão ao Espiritismo.

de maneira positiva e não pode ser contestada seriamente [...].

Com efeito, a comunicação e a manifestação a distância entre Espíritos encarnados conduzem, lógica e necessariamente, à comunicação possível entre Espíritos encarnados e desencarnados. [98]

Como exemplo da afirmativa acima, Léon Denis reporta-se à experiência realizada pela Sociedade de Pesquisas de Londres, em que se estabeleceu um sistema de permutas de pensamentos entre os Estados Unidos e a Inglaterra, com o auxílio de dois médiuns em transe, que possibilitaram a transmissão de *uma mensagem de um Espírito a outro Espírito.*

A mensagem, todavia, apresentava um grau de complexidade, pois consistia de quatro palavras latinas e o latim era língua que os médiuns não conheciam. Tal experiência foi feita sob a fiscalização do Prof. Hyslop, da Universidade de Colômbia, em Nova Iorque, com todas as precauções necessárias para serem evitadas as fraudes.

Denis conclui:

A ação telepática não conhece limites; suprime todos os obstáculos e liga os vivos da terra aos vivos do Espaço, o mundo visível aos mundos invisíveis, o homem a Deus; une-os da maneira mais estreita, mais íntima.

[98] Léon DENIS, *O Problema do Ser, do Destino e da Dor.*

Os meios de transmissão que ela nos revela constituem a base das relações sociais entre os Espíritos, o seu modo usual de permutarem ideias e as sensações. [99]

A esse respeito convém verificarmos o que ensina *O Livro dos Espíritos*, na questão 282, na qual Allan Kardec indaga:

Como se comunicam entre si os Espíritos?
Eles se vêem e se compreendem. A palavra é material: é o reflexo do Espírito. O fluido universal estabelece entre eles uma comunicação constante; é o veículo da transmissão do pensamento, como, para vós, o ar o é do som; uma espécie de telégrafo universal que liga todos os mundos e permite que os Espíritos se correspondam de um mundo a outro. [100]

Não é difícil inferir que o que denominamos telepatia é exatamente o processo de comunicação entre todos os seres humanos, estejam estes no plano terreno ou no plano espiritual. Ampliando o raciocínio, lembramos que a oração é também uma mensagem telepática que endereçamos aos santos, aos guias, aos espíritos superiores, a Jesus e a Deus.

A telepatia é, assim, uma Lei Universal.

Com toda razão afirma Léon Denis:

[99] Léon DENIS, *O Problema do Ser, do Destino e da Dor.*
[100] Allan KARDEC, *O Livro dos Espíritos.*

Todos os seres, todos os corpos permutam vibrações. Os astros exercem influência através das imensidades siderais; do mesmo modo, as almas, que são sistemas de forças e focos de pensamentos, impressionam-se reciprocamente e podem comunicar-se a todas as distâncias. A atração estende-se às almas como aos astros; atrai-os para um centro comum, Centro Eterno e Divino. Uma dupla relação se estabelece. Suas aspirações sobem para ele na forma de apelos e orações. Sob a forma de graças e inspirações descem socorros. [101]

A mediunidade é um processo telepático

Diante de tantas aptidões e condições que tornam possível a captação de pensamentos, não é difícil concluir que a comunicação com os chamados mortos, os desencarnados, é também pura telepatia. Mesmo porque o dito "morto" não está morto, está vivo – eis o diferencial para que se consiga entender a gama de infinitas possibilidades que isto significa.

A conclusão da física quântica quanto ao entrelaçamento, à noção de mentes interconectadas, à certeza de que somos espíritos imortais, leva-nos à compreensão de que o intercâmbio com os que deixaram o corpo físico faz parte das leis naturais e universais.

---

[101] Léon DENIS, *O Problema do Ser, do Destino e da Dor.*

Contribuindo para esclarecer ainda mais esse tema, passamos a palavra ao nosso amigo e ilustre escritor, Hermínio Miranda:

Na verdade o espaço cósmico é um imenso campo onde circulam correntes de força e energias desconhecidas, invisíveis, mas não menos atuantes e reais. O exemplo usualmente invocado é o das ondas de rádio ou televisão, que aí estão por toda parte, à nossa volta, com sons, cores, movimentos e emoções que representam, mas que somente captamos munidos de aparelhagem especial, capaz de sintonizar-se com a onda certa e desejada.

Podemos por analogia, inferir que há uma ligação e, consequentemente, uma comunicação subliminar entre seres e entre estes e as coisas, através do que os instrutores da Codificação [102] *designaram pela expressão 'fluido universal', que serviria de veículo a todo esse sistema de comunicação cósmica.*

Nesse contexto, o pensamento não está, obviamente, aprisionado nos limites da caixa craniana, mas circula livremente por toda parte, projeta-se a distâncias inconcebíveis, com velocidade infinitamente superior à da luz, até agora tida como velocidade-limite de deslocamento.

[102] Instrutores da Codificação: referência aos Espíritos Superiores que responderam às perguntas de Allan Kardec em *O Livro dos Espíritos* e contribuíram com as demais obras.

> *Está hoje demonstrado que o pensamento, ou melhor, a energia que o pensamento movimenta é capaz de deslocar objetos materiais, influir sobre plantas, animais, seres vivos em geral e, certamente, transmitir de ser a ser imagens, sensações, emoções e conceitos abstratos.* [103]

Todas as civilizações, as mais remotas, conviveram continuamente e de forma natural com os antepassados que se comunicavam com os oráculos, profetizas, pajés, feiticeiros, enfim, aqueles que tinham a aptidão necessária para tal cometimento. E estes eram procurados, respeitados, ouvidos, embora na Idade Média tivessem sido perseguidos e condenados às fogueiras, os que falavam com as almas.

Esse intercâmbio atravessa a História de todos os povos e chega aos nossos dias. Nada mudou. As almas que se foram da Terra, teimosamente, continuam se comunicando com os que ficaram. Mesmo em meio a tanta modernidade, a fantásticas aquisições tecnológicas, mesmo diante de todas as conquistas avançadas do conhecimento humano, mesmo assim, eles aí estão: os espíritos, bons ou maus, sempre presentes.

Que "teimosia" esta!

É o caso de se perguntar: Por que isso?

Como explicar essa unanimidade, se dizem que os espíritos não existem?

---

[103] Hermínio C. MIRANDA, *Diversidade dos Carismas,* cap. IV.

O que significa, afinal, essa constante comunicação com os invisíveis?

Por que negar essa realidade que é tão bonita, consoladora e estimulante?

Sim, estimulante, pois ao sabermos que a morte não existe, e que somos uma só Humanidade no mesmo entrelaçamento, temos maior motivação para a vida terrena, cujo sentido torna-se muito mais importante e profundo, ao tempo em que vislumbramos com outra compreensão a magnanimidade de Deus.

Admitir a realidade da comunicação entre os vivos – no corpo físico – e os vivos – que deixaram o corpo físico, mas continuam vivos, porque afinal de contas, nunca ninguém morreu, no sentido de extinção total, é um avanço significativo, intelectual, moral e espiritual, que trará para a humanidade incalculáveis benefícios.

Transcrevo aqui o pensamento de Gabriel Delanne, enfeixando este capítulo:

> *Sim, temos uma alma imortal. Sim, as vidas sucessivas na Terra e no espaço são simples trechos do interminável caminho do progresso e todos nos achamos em marcha para altos destinos. O sentimento da imortalidade, que sempre se manifestou em todas as idades do gênero humano, que se atestou, de modo tangível, em todas as épocas, por manifestações semelhantes às que hoje observamos, está prestes, enfim, a receber sua*

explicação científica. Esplenderá então a moral sublime da solidariedade, da fraternidade e do amor, forçosa consequência das vidas sucessivas e da identidade de origem e de destino. [104]

[104] Gabriel DELANNE, *A Alma é Imortal.*

Capítulo 14

Clarividência: vendo o que está distante

Não tenho nenhuma dúvida de que a maioria das pessoas vivem, seja física, intelectual ou moralmente, num círculo deveras restrito do seu ser potencial. Elas usam uma parcela ínfima da sua consciência possível [...] mais ou menos como o homem que adquire o hábito de usar e mover, de todo o seu organismo físico, apenas o dedo mínimo [...]. Todos nós temos reservatórios de vida a serem aproveitados, com que sequer sonhamos.
William James [105]

A FACULDADE DE CLARIVIDÊNCIA POSSIBILITA a uma pessoa, estando de olhos fechados, a percepção do que se passa ao longe, quer no tempo quer no espaço, no passado como no futuro. A clarividência pode ocorrer sem que o sensitivo tenha qualquer preparação, até mesmo não tendo

[105] William James (1842-1910) – Filósofo e psicólogo, da Universidade de Harvard.

consciência de que a exerce tão natural pode ser a maneira em que se apresente.

Essa faculdade é resultante da emancipação da alma e da expansão do perispírito do clarividente. É mais uma comprovação da conexão mental entre os seres humanos, quer no plano terrestre quer no plano espiritual.

A percepção de fatos acontecidos ao longe poderá ser muito nítida, com detalhes precisos e posteriormente confirmados, ou, uma percepção mais superficial, apenas com alguns pontos mais significativos do fato que a pessoa descreve.

Inumeráveis são os casos comprovados realizados por pesquisadores, incluindo experiências em laboratórios, ou aqueles outros milhares relatados por pessoas idôneas em suas experiências pessoais.

Um dos casos mais célebres é o que ocorreu com o famoso vidente sueco, Emanuel Swedenborg, que viveu no século XVIII, constatado por um grupo considerável de pessoas.

Só para que vocês, caros leitores, tenham uma ideia de quem era esse homem diremos que Swedenborg, dotado de inteligência invulgar, um verdadeiro gênio, era engenheiro de minas e uma autoridade em metalurgia, física, astronomia, autor de importantes trabalhos a respeito de marés, zoologia e anatomia. Duzentos anos antes das neurociências, ele descreveu as sensações, os movimentos corporais e a cognição como funções do córtex cerebral, além das funções do corpo caloso, do córtex motor, do lobo frontal do cérebro, bem como da circulação do fluido cérebro-espinal e das interações da glândula pituitária entre o cérebro e o sangue, etc.

Na noite de 19 de junho de 1759 Swederborg participava em Göteborg, na Suécia, de um banquete, quando em meio a esse, anunciou subitamente aos amigos que estava tendo uma visão de um grande incêndio em Estocolmo, a capital do país, a 480 quilômetros de distância de Göteborg. Mais tarde, nessa mesma noite, anunciou que o fogo havia sido controlado. No dia seguinte, o prefeito de Göteborg, sabendo da visão de Swedenborg, foi procurá-lo para se informar melhor. Quarenta e oito horas depois chegava à cidade um mensageiro vindo da capital, trazendo notícias do incêndio, confirmando assim a visão de Swedenborg.

É impossível supor que Swedenborg pudesse ver, de Göteborg, com seus olhos materiais, o incêndio que ocorria em Estocolmo. [106]

Fica no ar a pergunta: Como isso foi possível?

Quem discorre com muita propriedade acerca de cla-

[106] Emanuel Von Swedenborg nasceu em Estocolmo, Suécia em 1688 e morreu em Londres em 1772. Verdadeiro gênio, ele tinha avançados conhecimentos de matemática, astronomia, geologia, mineralogia, medicina e fisiologia. Latim, grego, inglês eram idiomas que dominava, além de ter estudado hebraico para se aprofundar mais no estudo da Bíblia. http://autoresespíritasclassicos.com/swedenborg

rividência é Hermínio Miranda, inclusive citando que a palavra clarividência é usada para explicar vários fenômenos, contudo, o emprego da palavra não é o mais acertado, como se pode observar a seguir:

> *Ela (a palavra clarividência) foi proposta para caracterizar um só fenômeno – o da visão à distância sem recorrer ao aparelho visual do ser humano encarnado. Nada mais que isso, o que a caracteriza como* **fenômeno anímico,** *ou seja, atividade da alma encarnada, basicamente sem interferência de espíritos desencarnados.* [107]

No livro do Dr. Dean Radin, *Mentes Interligadas. Evidências científicas de telepatia, de clarividência e de outros fenômenos psíquicos* encontramos uma notável experiência de clarividência à longa distância, realizada por Sir Hubert Wilkins e Harold Sherman.

Wilkins era um fotógrafo australiano que se tornou famoso explorando e fotografando aviões e submarinos, além de ser também piloto de avião. Sherman era dramaturgo, e também autor de romances populares e apresentava interesse antigo por fenômenos psíquicos.

A experiência foi motivada pelo desaparecimento de um avião russo, em algum lugar do Ártico, perto da costa do Canadá. Devido ao seu conhecimento a respeito do Ártico Wilkins foi solicitado pelo governo russo para tentar

[107] Hermínio C. MIRANDA, *Diversidade dos Carismas*, vol. I.

localizar o avião perdido. Ele concordou e, em parceria com Sherman, decidiram usar essa oportunidade para ver se Sherman conseguiria se "sintonizar" com Wilkins a distância. Uma vez por dia, em horários determinados, Sherman utilizava a clarividência para "ver" o que estava acontecendo com Wilkins e sua equipe. Este, por sua vez, mantinha um registro diário dos eventos, que mais tarde foi comparado com as percepções de Sherman.

Corria o ano de 1938, e ainda não havia sido deflagrada a Segunda Guerra Mundial. As comunicações intercontinentais eram muito esporádicas por essa época. Comunicar-se com Wilkins era também muito difícil, pois ele, em geral, estava pilotando um pequeno monomotor sobre o mar, percorrendo toda a costa do Alasca. Passavam-se semanas entre os dias em que Wilkins escrevia seus relatórios diários e aqueles em que eram finalmente recebidos por Sherman. Para garantir a seriedade das experiências Sherman depositava cópias de suas impressões nas mãos de terceiros, a fim de que depois atestassem que os registros estavam em suas mãos antes que as novas remessas dos trechos de registros de Wilkins chegassem.

Como exemplo da similaridade de seus relatórios duplos, o Dr. Radin relata que, a 30 de novembro de 1938, Wilkins e sua equipe estavam em Aklavik, uma povoação isolada, acima do círculo ártico, no território canadense em meados do inverno setentrional. Participavam de uma festa no hospital local. Nessa mesma noite, dois de seus homens desceram até o porão e ficaram surpresos ao ver que ali se encontravam mesas de pingue-pongue. Eles jogaram com algumas enfermeiras e se divertiram muito.

Nessa mesma noite, em Nova York, quase a cinco mil quilômetros ao sudoeste, Sherman registrou sua visão clarividente, com fazia habitualmente. Ele escreveu o seguinte:

> *Recebi uma forte impressão de 'bolas de pingue-pongue' por alguma razão inexplicável e me flagrei escrevendo: Súbita visão de pingue-pongue – será que existe alguma mesa nessa cidade em que as pessoas possam jogar? Não sei como explicar uma impressão tão fora do comum [...].*

Mais tarde, Wilkins notou, após ler as impressões de Sherman para aquele dia e noite que, *dificilmente Sherman poderia imaginar que estaríamos jogando pingue-pongue no Ártico.* [108]

Menciona Radin que dúzias dessas correspondências são descritas no livro que Wilkins e Sherman publicaram em parceria.

O Espiritismo, ao evidenciar a questão da emancipação da alma, possibilita-nos a compreensão desses fenômenos psíquicos, que mais não são do que essa capacidade no-

[108] Dean RADIN, *Mentes Interligadas: Evidências científicas da telepatia, da clarividência e de outros fenômenos psíquicos.*

tável de que todos os seres humanos são dotados de usufruir de certa liberdade espiritual, conquanto esteja encarnado.

Isso acontece de modo natural, no dia a dia, e sem que a maioria de nós se dê conta.

A psicometria, a telepatia, a clarividência e os sonhos são decorrentes dessa emancipação da alma.

O cérebro físico é uma fantástica e poderosa usina, digamos assim, mas sua capacidade é restrita quando se trata de questões transcendentes, visto que essas são propriedades da alma ou espírito. Morto o corpo nada mais resta da capacidade do cérebro físico, entretanto, o espírito, desprendido da matéria física permanece com todos os seus atributos e apto a viver a vida espiritual que lhe é inerente.

Falando nisso é sempre bom refletirmos a respeito das claras e lógicas explicações de *O Livro dos Espíritos*, conforme veremos na pergunta 413, formulada por Allan Kardec:

> *Do princípio da emancipação da alma parece decorrer que temos duas existências simultâneas: a do corpo, que nos permite a vida de relação ostensiva e a da alma que nos proporciona a vida de relação oculta. É assim? No estado de emancipação a vida do corpo cede lugar à vida da alma. Contudo não há, verdadeiramente, duas existências. São antes duas fases de uma só existência, porquanto o homem não vive duplamente.* [109]

[109] Allan KARDEC, *O Livro dos Espíritos*.

Capítulo 15

Atividade psíquica nos sonhos

O inconsciente nos dá uma oportunidade, pelas comunicações e alusões metafóricas que oferece. É também capaz de comunicar-nos aquilo que, pela lógica, não podemos saber. Pensemos nos fenômenos de sincronicidade, nos sonhos premonitórios e nos pressentimentos!
Carl G.Jung [110]

OS SONHOS SEMPRE INTERESSARAM aos seres humanos e através dos tempos inúmeras e constantes interpretações procuram explicar os seus significados. Ao lado disso, estudos e pesquisas são realizados com a finalidade de uma compreensão mais profunda acerca dos mecanismos mentais que envolvem as atividades oníricas.

Começarei assinalando o que ensina Sri Aurobindo [111] a respeito:

---

[110] Aniela JAFFÉ, *Memórias, Sonhos, Reflexões*, p. 262.
[111] Sri Aurobindo, um dos mais conceituados líderes espirituais da Índia. Nasceu em Calcutá em 1872. Morreu em 1950. Educador e militante político. A partir do ano de 1909 retirou-se do campo político e foi para o sul da Índia, para devotar-se à sua missão espiritual. http://pt.wikipedia.org./wiki/sri_aurobindo

> *O que acontece no sono é que a nossa consciência se evade do campo de experiências da vigília; supõe-se que ela esteja em repouso, em suspensão ou inatividade temporária, mas essa é uma visão superficial do assunto. O que está em suspensão são as atividades da vigília; o que está em repouso é a mente superficial e ação consciente normal da nossa parte corporal. Mas a consciência interior não está suspensa; ela passa a se dedicar a novas atividades interiores, das quais nos lembramos apenas em parte – uma parte que acontece ou se agrava em algo dentro de nós, algo que está próximo da superfície.*
>
> *Na verdade, quando entramos naquilo que chamamos de sono sem sonhos, entramos numa camada mais densa e profunda do subconsciente, um estado demasiado intrincado, imerso ou obscuro, pesado demais para trazer suas estruturas à superfície. Nele nós sonhamos, mas não conseguimos apreender ou reter na camada de gravação da subconsciência as obscuras figuras dos sonhos.* [112]

Esse tema é também enfocado pelo Dr. Dean Radin, no livro retrocitado, *Mentes interligadas. Evidências científicas de telepatia, de clarividência e de outros fenômenos psí-*

[112] Roger WALSH, Roger; Frances VAUGHAN, *Caminhos Além do Ego*, p. 89.

quicos. Ele menciona que pesquisas entre diversas culturas demonstram que cerca da metade das experiências espontâneas de psi ocorrem em sonhos e que muitos envolvem acidentes ou morte de um membro da família em algum ponto mais ou menos distante.

A esse respeito registra a carta da S$^{ra.}$ Anne Ring, relatando uma experiência psíquica ocorrida durante um sonho. Trata-se de um tipo de sonho com minúcias, conforme se pode constatar:

> *Há muitos anos tive um sonho muito estranho referente a meu pai. Sonhei que ele estava decorando a casa da maneira que fazemos na Inglaterra – ou costumávamos fazer –, com guirlandas de papel trançado, coroas de azevinho etc. A diferença é que as decorações que ele estava colocando não eram do tipo que se usa para o Natal. De repente, ele se sentou em uma cadeira, afrouxou-se todo e morreu. Acordei chorando tão alto que acordei meu marido. Olhei para o relógio e eram exatamente duas da madrugada, pelo horário da Califórnia. Contei o sonho a meu marido e ele me disse: 'Ora, querida, não se preocupe, não foi nada, você sempre tem sonhos estranhos, vamos dormir de novo'. Mas o sonho me havia perturbado muito e custei a adormecer de novo.*
>
> *A manhã seguinte era o Dia de Ação de Graças, enquanto estava preparando a refeição o telefone tocou*

> *e era meu irmão, de Londres, me contando que nosso pai tinha morrido. Foi um choque terrível, porque tinha me encontrado com meu pai no dia Primeiro de Maio desse mesmo ano e ele estava robusto e saudável [...]. Perguntei a meu irmão quando tinha acontecido e ele replicou [...] que acontecera às dez da manhã, segundo o horário de Londres. Tinha sido no momento exato em que eu tivera o sonho (duas da manhã, pelo fuso horário da Califórnia, diferença de seis horas). A propósito, ele estava decorando a casa, porque era seu aniversário de casamento com nossa madrasta e eles tinham planejado uma festa para aquela noite.* [113]

Como podemos interpretar essa experiência? – pergunta Radin.

Como, uma coincidência pungente ou um caso de genuína clarividência? Esta foi a única vez que a Sra. Ring teve um sonho desse tipo e continha detalhes e horários exatamente correspondentes aos do mundo real. Professores de universidades famosas já me contaram experiências similares, do mesmo modo que diretores da Fundação Nacional de Ciência e até generais do exército norte-americano. Essas pessoas não são ingênuas e predispostas a fantasias. Elas sabem estabelecer

[113] Dean RADIN, *Mentes Interligadas: Evidências científicas da telepatia, clarividência e de outros fenômenos psíquicos.*

as diferenças entre coincidências sem sentido e eventos excepcionais.

Os sonhos sempre despertaram o interesse e a curiosidade de Jung e, foram constantemente, objeto de suas pesquisas. Ele mesmo relata vários de seus sonhos. Escolhemos um deles para a nossa apreciação, esclarecendo que se trata de um episódio que evidencia uma premonição da morte de um familiar:

Sonhei, então, que o leito de minha esposa era um fosso profundo com paredes mal cimentadas. Era um túmulo que despertava lembranças da antiguidade. Ouvi nesse momento um profundo suspiro, como de um agonizante. Uma forma que se assemelhava à de minha mulher ergueu-se da tumba e elevou-se nos ares. Trazia uma veste branca tecida de curiosos signos negros. Despertei, acordei também minha mulher e olhei o relógio. Eram três horas da manhã. O sonho era tão estranho que pensei imediatamente que podia anunciar um falecimento. Às sete horas chegou-nos a notícia de que uma prima de minha mulher falecera às três horas. [114]

Em seus comentários acerca das notáveis potencialidades da psique, Jung diz:

[...] Há também indícios que mostram que uma parte

[114] Aniela JAFFÉ, *Memórias, Sonhos, Reflexões*, p. 263.

da psique, pelo menos, escapa às leis do espaço e do tempo. A prova científica foi estabelecida pelas experiências bastante conhecidas de Rhine. [115] *Ao lado de inumeráveis casos de premonições espontâneas, de percepções não espaciais e outros fatos análogos, dos quais busquei exemplos em minha vida, essas experiências provam que, por vezes, a psique extrapola a lei da causalidade espaço-temporal.*
Disso resulta que as representações do espaço, do tempo e também da causalidade são incompletas. Uma imagem total reclama, por assim dizer, uma nova dimensão; só então poderia ser possível dar uma explicação homogênea à totalidade dos fenômenos. (JAFFÉ, p. 264).

Completando seu pensamento, Jung acrescenta que esse é o motivo pelo o qual os racionalistas negam com persistência as experiências parapsicológicas, preferindo dizer que elas não existem, pois seriam fatais à sua visão do mundo. Admitir que tais fenômenos sejam produzidos implica à imagem racionalista do universo perder o seu valor por ser incompleta. Assim, a possibilidade da existência de outra realidade, atrás das aparências, com outras características, torna-se um problema intransponível. *Não vejo – afirma Jung – qualquer possibilidade de contestar que ao menos uma par-*

[115] J. B. Rhine, Duke University de Durham, U.S.A.

te de nossa existência psíquica se caracteriza por uma relatividade de espaço e de tempo. À medida que nos afastamos da consciência, esta relatividade parece elevar-se até o não-espacial e a uma intemporalidade absolutas. (JAFFÉ, p. 264).

Outro aspecto de grande interesse, quanto às pesquisas de Jung a respeito dos sonhos, refere-se àqueles que ele considera como telepáticos. Vale conferir o que ele diz:

> *Uma outra determinante do sonho que devemos reconhecer é o fenômeno telepático. Hoje não se pode mais duvidar da realidade universal deste fenômeno. Naturalmente é muito fácil negar a sua existência, sem examinar os materiais que dele dão prova, mas isto seria uma atitude bem pouco científica, que não merece a mínima consideração. Tive ocasião de verificar que os fenômenos telepáticos exercem também influência sobre os sonhos, o que, de resto, tem sido afirmado por nossos antepassados desde tempos imemoriais. Certas pessoas são, neste particular, muito sensíveis e frequentemente têm sonhos de caráter fortemente telepáticos [...].*
>
> *Em geral, a literatura dos sonhos telepáticos cita apenas aqueles durante os quais um acontecimento particular afetivo é antecipado 'telepaticamente' no tempo e no espaço; aqueles, portanto, em que a importância humana do acontecimento (por exemplo, de um falecimento), por assim dizer, ajuda a explicar ou pelo menos*

a compreender o seu pressentimento ou percepção à distância. Os sonhos telepáticos que tenho observado correspondem, na maioria, a este tipo. Um pequeno número, porém, se distingue pela singularidade de que o conteúdo manifesto do sonho encerra uma verificação telepática que se refere a algo inteiramente banal e sem interesse, como, por exemplo, o rosto de uma pessoa desconhecida e indiferente, ou a um conjunto de móveis em um lugar e em condições indiferentes, ou à chegada de uma carta banal e desprovida de interesse, etc. Naturalmente, constatando a ausência de interesse em tais sonhos, quero apenas dizer que, nem pelos interrogatórios habituais nem pela análise, descobri algum conteúdo onírico cuja importância 'justificasse' o fenômeno telepático. [116]

Muitos de nós já tivemos experiências telepáticas em nossos sonhos.

Certamente você, caro leitor e cara leitora, nesse momento, também se lembrará dos próprios sonhos e constata que muitos (talvez a maioria) apresentavam processos telepáticos de comunicação, porém, tão naturais que só agora se dão conta.

Particularmente, recordo-me de os meus vários sonhos

[116] Citado por José Marques Mesquita em *Dinâmica da Mente na Visão Espírita*, p. 80, do livro de Carl JUNG, *A Natureza da Psique*.

em que esse fato ocorrera. Em muitos, em meio aos acontecimentos, ouço uma voz a me dizer algo; em outros eu mesma falo com as pessoas que encontro no sonho e sei que, tanto as respostas delas quanto o que eu falo são processos mentais, é a linguagem do pensamento.

Linguagem do pensamento. Abordamos esse assunto no capítulo 13 deste livro. Esta noção, por certo, enriqueceria ainda mais a já valiosa e adiantada obra de Jung.

O Espiritismo elucida as dúvidas acerca desse tema.

Para os espíritas os sonhos revelam a condição natural da emancipação da alma. Assim, quando o corpo físico está adormecido o espírito adquire maior independência e pode se afastar da veste carnal e ir até mesmo a grandes distâncias, ficando, entretanto, ligado a essa, por laços fluídicos, o que possibilita que volte ao corpo instantaneamente, caso seja necessário.

Os sonhos, na visão espírita, sob esse aspecto, são encontros espirituais que cada um pode ter ao adormecer. Esses sonhos, sob certas condições, exprimem vivências do passado ou preveem o futuro.

Convém citar que existem outras classificações acerca da atividade onírica. Temos, por exemplo, os sonhos fisiológicos, que abordamos em *Mediunidade, Caminho Para Ser Feliz*, da seguinte forma:

Existem também os sonhos fisiológicos, que retratam a vivência do dia-a-dia. São produzidos pelo cérebro físico, devido a imagens arquivadas de ocorrências de toda a existência da pessoa. Muitos desses sonhos são verdadeiras catarses necessárias ao equilíbrio do indivíduo. [117]

Em *O Livro dos Espíritos* o tema é abordado em 55 questões, o que denota a sua importância e interesse. [118]

Observem o leitor e a leitora que a psicometria, a clarividência e os sonhos têm muitos aspectos semelhantes, especialmente com a telepatia. Todos esses fenômenos, porém, somente ocorrem pela característica que lhes é comum, que é a emancipação da alma, conforme já citamos.

Assinala Léon Denis, com muita propriedade:

O homem é para si mesmo um mistério vivo.

De seu ser não conhece nem utiliza senão a superfície. Há em sua personalidade profundezas ignoradas em que dormitam forças, conhecimentos, recordações acumuladas no curso das anteriores existências, um mundo completo de idéias, de faculdades, de energias, que o envoltório carnal oculta e apaga, mas que despertam e entram em ação no sono normal e no sono magnético.

Esse é o mistério da Psique, isto é, da alma encerrada com seus tesouros na crisálida da carne, e que dela se evade em certas horas, se liberta das leis físicas, das

[117] Suely C. SCHUBERT, *Mediunidade: Caminho para ser feliz.*

[118] Allan KARDEC, *O Livro dos Espíritos.*

condições de tempo e de espaço, e se afirma em seu poder espiritual.

Tudo na Natureza é alternativa e ritmo. Do mesmo modo que o dia sucede à noite e o verão ao inverno, a vida livre da alma sucede à estância na prisão corpórea. Mas a alma se desprende também durante o sono; reintegra-se em sua consciência amplificada, nessa consciência por ela edificada lentamente através da sucessão dos tempos; entra na posse de si mesma, examina-a, torna-se objeto de admiração para ela própria. Seu olhar mergulha nos recessos obscuros de seu passado, e aí vai surpreender todas as aquisições mentais, todas as riquezas acumuladas no curso de sua evolução, e que a reencarnação havia amortalhado. E o que o cérebro concreto era impotente para exprimir, seu cérebro fluídico o patenteia, o irradia, com tanto mais intensidade quanto mais completo é o seu desprendimento.

O sono, em verdade, outra coisa não é que a evasão da alma da prisão do corpo. [119]

[119] Léon, DENIS, *No Invisível*, p. 131, 132.

Capítulo 16

Além dos campos mórficos

A ideia é de que existe uma espécie de memória na natureza. Cada espécie de coisa tem uma memória coletiva.
Rupert Sheldrake [120]

Em 1981, o biólogo inglês Rupert Sheldrake lançou seu primeiro livro, *Uma Nova Ciência da Vida*, apresentando uma teoria que viria a revolucionar o universo da biologia, a de campos mórficos ou morfogenéticos e a de ressonância mórfica.

A visão apresentada por Sheldrake abriu novas perspectivas para um conhecimento mais aprofundado em relação aos seres vivos e à Natureza.

Assim, o campo morfogenético seria uma região de influência que atua dentro e em torno de todo organismo vivo. Para melhor entendimento, recordemos o campo ele-

[120] Rupert Sheldrake, biólogo inglês. Autor de várias obras, entre elas *O Renascimento da Natureza*.

tromagnético em volta de um ímã; o campo morfogenético seria algo semelhante.

Explica o biólogo que cada grupo de animais, plantas, pássaros, etc., são cercados por uma espécie de campo invisível que contém uma memória, e que cada animal usa a memória de todos os outros animais da sua espécie. Esses campos são o meio pelo qual os hábitos de cada espécie se formam, se mantém e se repetem.

Consideremos o seguinte: havia um arquipélago no Pacífico povoado apenas por macacos. Eles se alimentavam de batatas, que tiravam da terra. Um dia, não se sabe porquê, um desses macacos lavou a batata antes de comer, o que melhorou o sabor do alimento. Os outros o observaram, intrigados, e aos poucos começaram a imitá-lo. Quando o centésimo macaco lavou a sua batata, todos os macacos das outras ilhas começaram a lavar suas batatas antes de comer. E entre as ilhas não havia nenhuma comunicação aparente.

Essa história (fictícia) exemplifica a teoria dos campos morfogenéticos. Segundo o cientista, os campos morfogenéticos seriam estruturas energéticas invisíveis que se estendem no espaço-tempo e estabelecem a forma e o comportamento de todos os sistemas do mundo material. Isso significa que todo átomo, molécula, célula ou organismo gera um campo organizador ainda não detectável por qualquer instrumento, que afeta todas as unidades desse tipo. Portanto, sempre que um membro de uma espécie aprende um comportamento, e esse comportamento é repetido vezes suficientes, o campo (molde) até então existente, é modificado e a modificação alcança e repercute na espécie por inteiro. Isso explica por que, no exemplo, todos os macacos do arquipélago de repente começaram a lavar suas batatas sem que houvesse comunicação entre as ilhas.

Para Sheldrake, existe uma peculiaridade muito específica de campos, que ele denomina de campos mórficos. Esses contêm informações de hábitos e comportamentos de cada espécie. Cada membro de uma espécie teria seu próprio campo mórfico, resultando que a soma dos campos mórficos dos indivíduos formaria o campo das espécies.

Outro ponto importante, segundo o biólogo, é que esses campos teriam condições não só de estocar, mas ainda a possibilidade de trocar informações com outros campos mórficos, o que se daria por um processo de ressonância, que ele chamou de ressonância mórfica.

Em suas pesquisas, durante anos, desses campos e dos processos de intercâmbio de informações, contidas em campos mórficos de indivíduos de uma espécie, e que poderiam ser transmitidas para indivíduos de outra espécie, levaram Rupert Sheldrake a uma conclusão ainda mais revolucionária, a de que existe algo como uma memória na Natureza.

Observemos como ele próprio esclarece:

A ideia é de que existe uma espécie de memória na natureza. Cada espécie de coisa tem uma memória coletiva.

> *Assim, tome como exemplo um esquilo vivendo hoje em Nova York. Esse esquilo está sendo influenciado por todos os esquilos passados. Eu dei o nome de ressonância mórfica ao processo como essa influência se move ao longo do tempo, transportando tanto a forma quanto os instintos da memória coletiva dos esquilos. É uma teoria de memória coletiva na natureza. Essa memória é expressa pelos campos mórficos, os campos existentes dentro e em volta de cada organismo. Os processos de memória devem-se à ressonância mórfica.* [121]
> (Rupert Sheldrake, *Rivista di Biologia* – Biology Fórum, 1992).

Ampliando essa linha de raciocínio, Sheldrake aduz que também os seres humanos têm uma memória comum. Essa ideia adequa-se perfeitamente ao inconsciente coletivo adotado por Jung, que seria compreendido facilmente a partir dos campos mórficos coletivos.

É bom dizer logo que o materialismo científico admite a existência de campos, entretanto, esses campos não comportariam qualquer espécie de consciência, o que vale dizer que não transmitiriam informações a distância e, como é óbvio, eles desapareceriam com a morte.

O que decorre disso é explicado por Eduardo Castor

[121] Rupert SHELDRAKE apud Eduardo C. BORGONOV, *O Livro das Revelações*.

Borgonov, em *O Livro das Revelações*, visto que se os campos mórficos realmente armazenam informações de nossa memória e, se essas informações podem ser transmitidas a distância, sem contato físico, pode-se concluir que não existe separações entre as mentes individuais e as coletivas.

> *E, assim, teríamos de admitir que estamos conectados a tudo – à nossa espécie, a outras espécies, a todas as formas de vida. Mais ainda: especulando sobre a possibilidade de nos conectarmos também com formas não-vivas, como admite Sheldrake, chega-se à conclusão de que nossa consciência está conectada com toda a criação. Estamos ligados às estrelas e aos planetas, a todo o Universo, não somente por elementos químicos em nossos corpos, mas também por intermédio de nossa mente.* [122]

Outras pesquisas foram realizadas pelo biólogo britânico no propósito de provar que o corpo possui um campo mórfico e, quando uma parte desse corpo se perde, o campo permanece. Observemos uma de suas experiências: Uma pessoa que não tem parte do braço age como se estivesse empurrando o membro fantasma através de uma tela fina. Uma outra pessoa, do outro lado da tela, tenta tocar o braço fantasma. De acordo com Sheldrake, as duas pessoas envolvidas na experiência são capazes de sentir o toque.

---

[122] Eduardo C. BORGONOV, *O Livro das Revelações*.

É uma prova (subjetiva) de que alguma coisa do braço ainda existe concretamente, e não apenas no cérebro da pessoa que o perdeu.

Então, o campo morfogenético é algo que está dentro de nós, e fora de nós. O campo morfogenético nos envolve e nos define, está presente em nossos pensamentos, e em nossas atitudes.

A Dra.. Marlene Nobre discorrendo a respeito da obra de Sheldrake, afirma:

> *Os espíritas entendem perfeitamente bem que esses campos mórficos ou morfogenéticos e a ressonância mórfica correspondem à estrutura do perispírito, corpo espiritual ou modelo organizador biológico – corpo sutil que envolve o Espírito, que está presente também na obra do engenheiro Andrade. (Hernani Guimarães Andrade).* [123]

Outro aspecto deve ser considerado nessa altura de nossas reflexões, é o que se refere à aura humana. Para tanto, passamos a palavra ao escritor e pesquisador Zalmino Zimermann:

> *A aura* (do lat. **Aura** – brisa, sopro) *é conhecida desde os tempos imemoriais, passando a ser, modernamente, graças ao próprio desenvolvimento científico, objeto de importantes estudos e frutuosas pesquisas.*

[123] Marlene NOBRE, *A Alma da Matéria.*

> *A aura humana, [...] é um campo resultante de emanações de natureza eletromagnética, a envolver todo o ser humano encarnado ou desencarnado. Reflete, não só sua realidade evolutiva, seu padrão psíquico, como sua situação emocional e o estado físico (se encarnado) do momento.* **Espelha, pois, o ser integral: alma – perispírito – duplo etérico – corpo.**
> *(No desencarnado, obviamente, é apenas o reflexo da alma e do seu perispírito). [...].*
> *É comum considerar a aura como se fosse patrimônio exclusivo do ser vivo. Todavia, sabe-se que todo ser, animado ou inanimado, tem a sua projeção energética.* [124]

Ainda explicando acerca da obra de Sheldrake, a Dra. Marlene Nobre, em seu excelente livro *O Clamor da Vida*, acrescenta:

> *Para Sheldrake, com os campos mórficos, muitos fenômenos não compreendidos teriam explicação lógica, como o da comunicação entre pessoas e seus animais de estimação, o vôo ordenado de bandos de aves, etc. Poderiam explicar, por exemplo, o fato de que muitos cães sabem, mesmo a centenas de quilômetros, quando seus donos resolvem voltar para casa e também o fato de pessoas saberem que estão sendo observadas [...].*
> *Segundo, ainda, sua teoria, a telepatia seria explicada*

[124] Zalmino ZIMERMANN, *Perispírito*, p. 189, 190, 219.

pela existência deles, uma vez que 'o campo mórfico pode distender-se, mantendo um contato que permite a comunicação'. [125]

Tendo em vista que o campo mórfico pode distender-se propiciando um contato que permite a comunicação, é imprescindível considerar que o mesmo acontece com a aura, que também tem a propriedade de se expandir, entrando em comunicação com outras, com as quais se afine, e sintonize.

Necessário aprofundarmos um pouco mais a respeito da aura, facilitando assim o nosso entendimento. Recorramos, novamente, ao estimado médico psiquiatra Dr. Jorge Andréa:

> *A aura, na espécie humana, reflete os diversos estados de consciência que o ser pode apresentar, desde os graus instintivos mais primitivos até os vôos mais expressivos do altruísmo. No belo multicolorido de determinadas auras, próprias dos seres mais evoluídos, percebidas pelos videntes, nasceu a idéia de existência de específicas personalidades que deram margem à criação dos santos de muitas religiões; como, também, pelo aspecto embaçado e de cores esmaecidas e escuras, estariam aqueles que carregam condições bem primárias e instintivas, os que participaram de atos deletérios e negativos. Assim, diante às atitudes psicológicas e evolução dos seres, teríamos auras opa-*

[125] Marlene NOBRE, *O Clamor da Vida.*

> *cas ou luminescentes, onde os mais evoluídos podem apresentar-se com tal intensidade de luminosidade que deixam atônitos os videntes.*
> *Nos nossos dias existem muitos trabalhos de registro dessas irradiações áuricas, em fotografia e cinematografia coloridas, efetuadas em campo de alta frequência, calcados na descoberta do casal Kirlian, de origem russa, e que, por isso, foram denominados de kirliangrafias. Este campo áurico de registro é conhecido na Rússia, como sendo campo bioplasmático.* [126]

Há, evidentemente, diferenças básicas entre o campo mórfico e o campo da aura. O primeiro contém verdadeiro acervo de informações que podem ser trocadas com outros campos mórficos; a aura reflete os estados conscienciais do ser humano. Pode-se inferir, portanto, que as auras se identificam por processo de atração vibratória, por meio da afinidade e da sintonia.

A cada passo na escalada do conhecimento novos horizontes se abrem, ensejando perspectivas ilimitadas, que por sua vez vão sendo desvendadas e, consequentemente, dando lugar a infinitas possibilidades, dantes inimagináveis. É a inexorável Lei do Progresso que propele o ser a conquistas constantes, levando-o a entender que cada um de nós faz parte de um fantástico plano evolutivo, no qual todos podem

[126] Jorge Andréa SANTOS, *Correlações Espírito-Matéria.*

contribuir para que a vida terrena e a nossa vida de espírito imortal, por decorrência, sejam ricas em realizações que se traduzem em felicidade, a partir do nosso querer. Completando este capítulo, vejamos a palavra sempre sábia do autor espiritual André Luiz, referindo-se ao campo da aura:

> *Articulando, ao redor de si mesma, as radiações das sinergias funcionais das agregações celulares do campo físico ou do psicossomático, a alma encarnada ou desencarnada está envolvida na própria aura ou túnica de forças eletromagnéticas, em cuja tessitura circulam as irradiações que lhe são peculiares.*
>
> *Evidenciam-se essas irradiações, de maneira condensada, até um ponto determinado de saturação, contendo as essências e imagens que lhe configuram os desejos no mundo íntimo, em processo espontâneo de autoexteriorização, ponto esse do qual a sua onda mental se alonga adiante, atuando sobre todos os que com ela se afinem e recolhendo naturalmente a atuação de todos os que se lhe revelem simpáticos.*
>
> *E, desse modo, estende a própria influência que, à feição do* **campo** *proposto por Einstein, diminui com a distância do fulcro consciencial emissor, tornando-se cada vez menor, mas a espraiar-se ao Universo infinito.* [127]

---

[127] Francisco Cândido XAVIER, *Mecanismos da Mediunidade.*

Capítulo 17

Algo novo no reino da consciência

Onde está escrita a lei de Deus? (pergunta Allan Kardec)
Na consciência. (responderam os Espíritos Superiores)
O Livro dos Espíritos q. 621 [128]

A RESPOSTA DAS ENTIDADES SUPERIORES a Allan Kardec evidencia a suprema importância da consciência.

Sempre considerei essa questão, a de onde estaria escrita a lei de Deus como uma das mais importantes em toda a obra de Kardec e, ao longo dos anos, pude observar que é, também, para os estudiosos do assunto, fora do âmbito espírita, o maior enigma a ser desvendado, decorrente de sua suprema importância.

Inúmeras são as hipóteses a respeito da consciência. Em *Os Poderes da Mente* [129], abordo esse fantástico potencial, a consciência, de que o ser humano é dotado. Registro

[128] Allan KARDEC, *O Livro dos Espíritos.*

[129] Suely C. SCHUBERT, *Os Poderes da Mente.*

ali, algumas das diversas tentativas dos que a pesquisam, de elucidar o seu significado, como defini-la, quais são as suas características, o processo mental que a expressa – enfim, para se chegar a tal cometimento, pode-se dizer que seria a consciência definindo a si própria. Ou seria como o pensamento pensando o ato de pensar.

Imprescindível trazer para nossa reflexão o que explana o neurologista António Damásio, chefe do Departamento de Neurologia da Faculdade de Medicina da Universidade de Iowa, em seu livro, *O Mistério da Consciência*, já na introdução:

> *Nenhum aspecto da mente humana é fácil de investigar e, para quem deseja compreender os alicerces biológicos da mente, a consciência é unanimamente considerada o problema supremo, ainda que a definição desse problema possa variar notavelmente entre os estudiosos. Se elucidar a mente é a última fronteira das ciências da vida, a consciência muitas vezes se afigura como o mistério final na elucidação da mente. Há quem o considere insolúvel [...]. O que poderia ser mais difícil de conhecer do que conhecer o modo como conhecemos? O que poderia ser mais deslumbrante do que perceber que é o fato de termos consciência que torna possíveis e mesmo inevitáveis nossas questões sobre a consciência?*
>
> *Embora eu não veja a consciência como o ápice da*

evolução biológica, penso que é um momento decisivo na longa história da vida. Mesmo quando recorremos à simples e clássica definição de consciência encontrada nos dicionários – que a apresenta como a percepção que um organismo tem de si mesmo e do que o cerca –, é fácil imaginar como a consciência provavelmente abriu caminho na evolução humana, para um novo gênero de criações, impossível sem ela: a consciência moral, religião, organização social e política, artes, ciências e tecnologia. De um modo ainda mais imperioso, talvez a consciência seja a função biológica crítica que nos permite saber que estamos sentindo tristeza ou alegria, sofrimento ou prazer, vergonha ou orgulho, pesar por um amor que se foi ou por uma vida que se perdeu. [130]

Podemos observar que, para o Dr. Damásio, a consciência e a mente são processos biológicos, decorrentes dos implementos cerebrais. Ele pesquisa as múltiplas funções do cérebro e, em sua obra, afirma que é o cérebro que dá origem a todas elas, assim como às potencialidades do ser humano, inclusive os processos abstratos, como o ato de pensar, a memória, as emoções e sentimentos – só para citar alguns. Claro que o célebre neurofisiologista não admite a existência de Deus, do Espírito e tudo o mais que se relaciona com a espiritualidade.

[130] António DAMÁSIO, *O Mistério da Consciência.*

Perguntas e mais perguntas ocorrem quando cientistas investigam esse assunto. Principalmente quando a consciência é explicada como função do cérebro. Vejamos algumas dessas perguntas: Como explicar de que modo a ação eletroquímica torna-se pensamento ou sensação? Como definir a consciência em si mesma? Como explicar o trabalho mental dos sistemas cognitivos da mente?

Na realidade somos conscientes de que somos conscientes.

Isso possibilita outras ilações deveras interessantes, como vem acontecendo ultimamente, como por exemplo, na visão quântica. Para isso nos valemos das afirmativas do biólogo inglês Rupert Sheldrake, conforme relata Wallace Lima:

> *No seu artigo, 'A mente ampliada', que faz parte do livro A revolução da Consciência, através de vários experimentos, Rupert sugere ser a consciência muito mais ampla que o cérebro, assim como a mente.*
>
> *A mente estaria interconectada através do espaço-tempo e seu alcance certamente supera os limites físicos do cérebro. Observa Rupert que a ideia que a alma ou a psique transcende o cérebro é antiga e era a visão predominante na Europa Medieval. Aristóteles, na Grécia Antiga, considerava que todos os seres vivos tinham uma alma ou psique.* [131]

---

[131] Wallace LIMA, *Princípios Quânticos no Cotidiano.*

Amit Goswami, em sua obra *O Universo Autoconsciente*, apresenta importante contribuição ao assunto e vale a pena atentarmos ao que ele explana. Como os demais cientistas e pesquisadores, ele enfatiza a dificuldade de definir a consciência. O físico indiano inicia, então, o capítulo com as seis definições da palavra consciência conforme o *Oxford English Dictionary:*

1. *Conhecimento conjunto ou mútuo.*
2. *Conhecimento ou convicção internos, especialmente de nossa própria ignorância, culpa deficiências, etc.*
3. *O ato ou estado de estarmos conscientes ou cientes de alguma coisa.*
4. *O estado ou faculdade de estarmos conscientes como condição ou concomitante de todo pensamento, sentimento e vontade.*
5. *A totalidade das impressões, pensamentos e sentimentos que constituem nosso ser consciente.*
6. *O estado de estarmos conscientes, considerando isso como a condição normal de uma vida sadia de vigília.* [132]

Goswami comenta que nenhuma dessas definições satisfaz inteiramente, porém, se tomadas em conjunto propiciarão uma ideia aproximada do que é a consciência.

[132] Amit GOSWAMI, *O Universo Autoconsciente.*

Para Goswami, a consciência é a realidade única e final, criadora de tudo, inclusive do mundo material.

Inevitável retornarmos agora a Rupert Sheldrake, pois suas pesquisas acerca dos campos mórficos e os surpreendentes (para os cientistas) resultados, levaram-no igualmente aos domínios da consciência.

Ao analisar a obra de Sheldrake, Eduardo Borgonov salienta que:

> *No imenso universo de conclusões decorrentes das idéias de Sheldrake, é muito importante dar uma atenção especial àquelas que dizem respeito à consciência, pois uma nova visão da natureza da consciência será o ponto de partida para uma verdadeira revolução nos valores, ideais e comportamento da humanidade.*
>
> *A ideia, por exemplo, de que a consciência individual está em constante interação com as consciências de todos os seres vivos, e do próprio Universo, já foi fartamente apregoada pelas filosofias orientais. Faltava, entretanto, um caminho teórico e prático que permitisse demonstrar essas verdades dentro da lógica e metodologia das ciências ocidentais.*
>
> *Os campos mórficos e a ressonância mórfica apontam nessa direção.* [133]

[133] Eduardo C. BORGONOV, *O Livro das Revelações.*

Nessa direção aponta, igualmente, a Doutrina Espírita.

Estando apoiado no tripé de ciência, filosofia e religião o Espiritismo traz uma revelação nova para a Humanidade, sendo, ao mesmo tempo, uma ponte, um elo entre a religião e a ciência. Sendo a religião compreendida como a revivescência do Cristianismo inicial, ou seja, o Evangelho de Jesus na sua essência, escoimado das adulterações que tem sofrido ao longo dos tempos, ao sabor do poder temporal e sua conveniência, o Espiritismo traz de volta o ensino moral de Jesus, visto ser este o que sofreu menos adulteração (conforme *O Evangelho Segundo o Espiritismo*).

Ao mesmo tempo, trazendo no seu bojo a Lei da Reencarnação, o Espiritismo evidencia a possibilidade de o ser humano alcançar a felicidade plena, o que não é possível em uma única existência.

Outro ponto importante, e o maior deles, é a nova concepção acerca do Criador. Deus, na visão espírita é o Pai de Amor e Misericórdia, a perfeita Justiça, tal como Jesus ensinou. O que remete à questão do sofrimento humano, evidenciando que cada um escolhe seu próprio destino, de acordo com seu livre-arbítrio.

Nessa compreensão da justiça divina, equânime, isto é, igual para todos, agrega-se ainda a explicação de que não existe o inferno eterno, nem demônios perpetuamente destinados ao mal, mas sim, filhos de Deus, ainda imperfeitos, que um dia terão sua consciência despertada para a realidade suprema da Vida imortal e, pelo remorso e arrependimento, expiarão os seus crimes e retomarão à escalada evolutiva.

O Espiritismo abre um horizonte infinito, dá uma destinação a cada ser humano, demonstra que fazemos parte da grande família universal; que somos solidários, ou seja, nossa existência está interconectada a todos os demais filhos de Deus, em todo o Universo, nas diversas moradas da Casa do Pai.

Cada um desses postulados está fundamentado na palavra do Cristo, não à letra, mas ao espírito da letra, o ensinamento profundo que esplende de forma primorosa do que Ele disse. São palavras eternas e que repercutem ainda para aqueles que têm ouvidos para ouvi-las e compreendê-las.

Muitos outros pontos básicos ressaltam do Espiritismo.

Podemos depreender que a **revelação** espírita resulta em uma **revolução** de ideias, que aprimoradas propiciarão a **evolução** de cada ser humano.

A Humanidade assim transformada rumará para uma era de paz, de solidariedade e fraternidade – caminhos que nos levam ao Amor.

A essa altura é oportuno enfocarmos o pensamento de Joanna de Ângelis, que traz a visão espiritual acerca da consciência:

O desabrochar da consciência é um trabalho lento e contínuo, que constitui o desafio do processo da evolução. Inscrevendo no seu âmago a lei de Deus, de-

senvolve-se de dentro para fora a esforço da vontade concentrada, como meta essencial da vida.

Da mesma forma que, para atingir a finalidade, a semente deve morrer para liberar o vegetal que lhe dorme em latência, a consciência rompe a obscuridade na qual se encontra (a inconsciência), para conseguir a plenitude, a potencialidade do Si espiritual a que se destina.

Nesse desenvolvimento inevitável – que se dá durante a existência física nas várias etapas reencarnacionistas – o sofrimento apresenta-se como o meio natural da ocorrência evolutiva, constituindo o processo de maturação e de libertação do Espírito, o ser imortal. [...].

O despertar da consciência, saindo da obscuridade, do amálgama do coletivo, para a individuação, é acompanhado pelo sofrimento, qual parto que proporciona o desabrochar da vida, porém, sob o guante ainda inevitável da dor. [...].

Entretanto, à medida que o ser desperta para a sua realidade interior, o sofrimento muda de expressão e pode tornar-se um instrumento do próprio amor, ao invés de manter o caráter reparador, qual ocorreu com Jesus, Francisco de Assis e outros que, sem quaisquer débitos a ressarcir, aceitaram-no, a fim de ensinarem coragem, resignação e valor moral. [134]

[134] Divaldo P. FRANCO, *Autodescobrimento: Uma busca interior.*

O campo infinito da espiritualidade está diante de nós, envolve-nos e nele estamos mergulhados qual peixes no oceano: é o Pensamento Divino, Hausto Sublime do Criador, no dizer de André Luiz, um dos autores espirituais que assinalamos neste livro.

Novos tempos se delineiam no horizonte da Humanidade. Há uma ânsia de alguma coisa que sacie a sede interior de encontrar respostas para o verdadeiro sentido da vida.

Prossigamos com as nossas reflexões em torno da consciência. Você que lê estas linhas já compreendeu a complexidade do que estamos enfocando: o enigma da consciência.

William James refere-se à consciência, nestes termos:

> *O 'eu' consciente faz um só com um 'eu' maior, do qual lhe vem o resgate [...].*
>
> *Os prolongamentos do 'eu' consciente dilatam-se muito além do mundo da sensação e da razão, em certa região que se pode chamar mística ou sobrenatural. Quando nossas tendências para o Ideal têm sua origem nessa região – é o caso para a maior parte delas, porque somos possuídos por elas de maneira que não podemos perceber – ali temos raízes mais profundas do que no mundo visível, pois nossas mais altas aspirações são centros da nossa personalidade. Mas, este mundo invisível não é somente ideal, produz efeitos no mundo visível. Pela comunhão com o invisível, o 'eu'*

> *finito transforma-se; tornamo-nos homens novos e nossa regeneração, modificando nosso proceder, repercute no mundo material. Como, pois, recusar o nome de realidade ao que produz efeitos no seio de uma outra realidade? Com que direito diriam os filósofos que não é real o mundo invisível?* [135]

O "reino da consciência" é fascinante e surpreendente. Para aprofundarmos um pouco mais é inevitável permanecermos no campo da espiritualidade.

Com sua habitual clareza, Léon Denis expõe seu elevado pensamento:

> *A verdade acerca da natureza humana, da vida e do destino, o bem e o mal, a liberdade e a responsabilidade não se descobrem no fundo das retortas nem na ponta dos escalpelos. A ciência material não pode julgar e compreender o espírito, e isso na razão do grau da sua evolução. É da consciência das almas superiores, dos seus pensamentos, dos seus trabalhos, dos seus exemplos, dos seus sacrifícios, que brotam a luz mais intensa e o mais nobre ideal que podem guiar a Humanidade no seu caminho.*
>
> *O homem é, pois, ao mesmo tempo, espírito e matéria, alma e corpo; mas, talvez que espírito e matéria não*

[135] James WILLIAM apud Léon DENIS, *O Problema do Ser, do Destino e da Dor.*

sejam mais do que simples palavras, exprimindo de maneira imperfeita as duas formas da vida eterna, a qual dormita na matéria bruta, acorda na matéria orgânica, adquire atividade, se expande e se eleva no espírito. [136]

Jesus falou inúmeras vezes sobre o reino do céu ou reino de Deus. Em várias de suas parábolas referia-se a esse reino. Em Mateus, capítulo 13, por exemplo, o Mestre apresenta sete parábolas todas alusivas ao reino dos céus. São elas: a parábola do semeador, do joio e do trigo, do tesouro escondido, da pérola, do grão de mostarda, do fermento e da rede.

Em outro momento Ele diz, conforme Lucas, 17: 20 e 21: *O reino de Deus está dentro de vós.*

A palavra do Cristo ecoa pelos tempos afora, há dois milênios, sinalizando que esse reino, em verdade, está *dentro* de cada um. A busca, porém, continua: onde está afinal o reino? Como entender o que ele significa? Não é um lugar específico, uma localidade, mas como é possível que esteja em nosso íntimo? Seria na mente? Seria na alma ou no espírito?

A nova revelação veio à altura e sintonia do pensamento de Jesus, em sentido de superior elevação, por meio da pergunta que coloco como epígrafe neste capítulo.

Notável ressaltar a importância do questionamento feito por Kardec. Aliás, em toda sua obra pode-se admirar o aspecto relevante de suas perguntas.

---

[136] Léon DENIS, *O Problema do Ser, do Destino e da Dor.*

Vale repetir aqui a questão 621 de *O Livro dos Espíritos*:

P: Onde está escrita a lei de Deus?

R: Na consciência.

Outros questionamentos podem surgir: E o que é, afinal, a consciência? Como a lei de Deus pode estar "escrita" (digamos, insculpida?) na consciência?

Existe muito mais perguntas que respostas, em todos os campos do conhecimento humano. Quanto mais o ser humano progride intelectualmente mais perguntas surgem, pois como sabemos, diante de nós está a Ciência do Infinito, como define Allan Kardec.

Ken Wilber, psicólogo, abordando essa questão do que está *dentro* da mente, ou *dentro* do cérebro, expressa o seguinte:

> *A diferença é simplesmente que cada nível de consciência tem os seus próprios limites, com um dentro e um fora; mas um nível superior é sentido como interior ao inferior, e não como literalmente dentro dele. Esses limites não devem ser igualados, porque eles existem em níveis inteiramente diferentes. Por exemplo, os limites da minha mente e os limites do meu corpo não são os mesmos. Pensamentos podem entrar e sair da minha mente sem nunca cruzar os limites físicos do meu corpo. Note-se que, pelo fato de a minha mente ser interior ao meu corpo, ela pode ir além ou transcender os limites*

do meu corpo. Na minha mente, eu posso me identificar com um país, com um partido político, com uma escola de pensamento; numa reflexão intersubjetiva, posso assumir o papel de outros, adotar seus pontos de vista, empatizar com eles, e assim por diante. E eu nunca poderia fazer isso se minha mente estivesse somente e verdadeiramente dentro do meu corpo. [...]. Da mesma forma, a alma é interior à mente; ela não está dentro da mente. Dentro da mente não encontramos mais que pensamentos. É por isso que a introspecção mental nunca revela a alma. [137]

Nessa linha de raciocínio acerca da consciência chegamos agora a uma importante inferência.

Quando Jesus afirma que o reino de Deus está dentro de cada um; quando refletimos acerca da questão 621 de *O Livro dos Espíritos*; quando Kardec indaga onde está escrita a lei de Deus; quando o Espírito de Verdade responde que **a lei de Deus está escrita na consciência, concluímos que o Reino a que Jesus se refere é exatamente a CONSCIÊNCIA!**

Esse é o **reino de Deus que está dentro de cada ser humano.**

[137] Ken WILBER, *Transformações da Consciência: O espectro do desenvolvimento humano.*

Assim, a consciência é o sinete divino em nós. Esta é a "escrita" do Criador. Assim como todos somos dotados de potencialidades diversas, que são atributos do espírito imortal, também o Pai do Céu insculpiu, gravou em cada filho, na consciência, as suas Divinas Leis, Leis Universais, eternas, que imperam em toda a Criação.

Isso é de uma beleza grandiosa, de uma lógica transcendente, pois significa que Deus, em sua infinita misericórdia e amor, possibilita-nos a caminhada evolutiva, rumo ao infinito.

Capítulo 18

O que trazemos do ontem

Eu precisava saber mais. Eu queria aplicar o que aprendera a respeito do método científico a áreas que a maioria das pessoas põe de lado como destituídas de importância. Comecei a compreender que preciso explorar as profundezas da mente em lugar de limitar-me aos intercâmbios superficiais que em nossa sociedade passam por 'conhecermo-nos' uns aos outros. Já era tempo de encetar a minha pesquisa. [138]

ONTEM, NÃO É O DIA ANTERIOR A ESTE. É o dia longínquo, de outras eras, de outros tempos, de outras vidas.

Você talvez não admita a ideia da reencarnação – é compreensível que pense de maneira contrária. Mas, convido-o a pensar um pouco a respeito do assunto, pois se trata de um daqueles temas imprescindíveis de serem pensados, raciocinados.

[138] Helen WAMBACH, *Recordando Vidas Passadas.*

Hoje em dia fico a observar as crianças e os jovens.

É inegável que são crianças absolutamente 'antenadas' com os avanços atuais, nos diversos campos que o progresso engendra. Com a tecnologia, então, nem se fala! Já nascem sabendo. Às vezes perguntava aos meus netos, quando na faixa dos quatro ou cinco anos: – Quem te ensinou isto? Como você sabe isto? A resposta era sempre a mesma: – Ninguém, vó, eu sei. Um de meus netos, adolescente, abria, frequentemente, as entranhas do computador e resolvia qualquer problema existente. A primeira vez que o vi fazendo tal coisa, fiquei assustada, mas ele logo esclareceu: — Vó, eu sei o que estou fazendo! E não é que deu certo!

Bem, não tiveram aulas, não leram manuais, mas sabem.

Há 50 anos não se falava em computador. Nenhuma criança daquela geração apresentava qualquer conhecimento a respeito. Tornaram-se adultos, tiveram filhos, os computadores já estavam por aí, cada vez mais presentes em nossas vidas. São crianças dessa novíssima geração, familiarizadas com o computador desde quando começam a falar e a andar, que sabem, porque sabem.

E por que sabem? Esta realidade expressa, por decorrência, que Deus criou essas *novas almas* com um cabedal de inteligência adequado aos dias de hoje? E, neste caso, todas apresentam igualmente um QI alto ou semelhante?

Esse é um bom começo para pensarmos a vida.

Inúmeras perguntas vão surgindo, naturalmente. Você, se já parou para pensar na diversidade da situação de cada ser humano, certamente, tem muitos questionamentos. Mas, não respostas satisfatórias.

Neste livro procuramos debater alguns assuntos pertinentes à vida terrena e, ao mesmo tempo, enfatizarmos a necessidade de uma visão espiritualizada que atenda aos anseios profundos de cada um de nós. Para isso é imperioso transcendermos às coisas materiais, à visão reducionista habitual. São paradigmas ultrapassados, que não conseguem responder e explicar as dúvidas e carências humanas.

Sabemos, todavia, que a crise que avassala o mundo, especialmente a crise moral, faz parte da transição para um novo tempo, afinal, é uma nova era que se avizinha.

O que trazemos do ontem? A resposta à pergunta deste capítulo não é difícil. Você traz você mesmo. Somos hoje a síntese do que fomos até agora, na caminhada dos milênios. Cada etapa vivenciada agrega novas experiências a esse universo fantástico da nossa consciência.

Somos herdeiros de nós mesmos – é a lei inexorável, Lei Divina, que abarca todos os seres inteligentes que povoam o Universo.

Consideremos o seguinte: se a cada nascimento Deus criasse uma nova alma, totalmente virgem de qualquer conhecimento, ela teria de começar do zero, o que, como é óbvio, não permitiria a consolidação do progresso. Tudo, tudo mesmo, no plano físico, estaria sempre em constante começo.

Voltemos às reflexões anteriores: como explicar então, que as crianças de hoje saibam tanto em comparação com todas as demais, de todos os tempos, das civilizações que nos antecederam? Privilégios?

Outro ponto significativo, decorrente da ideia de que a alma é criada a cada nascimento, é que Deus sempre ficaria submetido aos desejos humanos de procriação premeditada ou acidental – hipótese totalmente absurda.

Valiosa, nessa altura, a linha de raciocínio de Humberto Schubert Coelho, a respeito da reencarnação:

> *Tudo nos leva a crer que a mente humana é uma tábula rasa, desprovida de qualquer conhecimento ou idéia, e só através da experiência pode adquirir conhecimentos. No entanto, e aqui começa a revolução causada pelo Espiritismo, esta falta completa de conhecimento só existiria na primeira existência do ser humano.*
>
> *Queremos dizer com isso que, ao adquirir o status de ser humano, o indivíduo inicia uma longa caminhada de progresso na qual tudo está por fazer. Todo conhecimento deve partir do zero, nada é sabido ainda.*
>
> *Uma vez que acreditamos na reencarnação e na permanência da individualidade da alma, esta situação toma dimensões muito mais amplas, pois estes conhecimentos não se perderão com o processo de renascimento. A cada nova vida os conhecimentos anteriores, mesmo*

que nublados pela carnalidade, darão sustento aos novos conhecimentos.

Assim como os filósofos empiristas afirmavam, o conhecimento progride e avança indefinidamente de acordo com o acúmulo de experiências adquiridas. Aqueles que passam por maior número de experiências e as apreendem de forma mais consistente terão inevitavelmente mais conhecimento que os demais. [...].

A inteligência bem como os valores morais e talentos diversos não se perdem com o transcorrer das vidas carnais, e, ao acumularem-se, geram certa superioridade de capacidades de um Espírito para o outro. [...].

Reconhecer que existem pessoas mais ou menos aptas a determinadas tarefas, ou dotadas de atributos e faculdades em graus distintos, é não só respeitar o bom senso e os fatos óbvios, como admitir a justiça que recompensa aqueles que se esforçaram e fizeram melhor proveito de seu tempo. Não existe qualquer juízo de valor nessa distinção, uma vez que a imortalidade da alma dá aos retardatários tempo suficiente para cobrir suas falhas desde que desejem fazê-lo. [139]

Reencarnação é um tema recorrente através das eras.

Todos nós sabemos que as civilizações trazem essa ideia em seus arquivos mais remotos.

[139] Humberto S. COELHO, *Genealogia do Espírito.*

Em nossos dias é um tema que se fortalece a cada momento, visto que cada vez mais, continuamente, as evidências dessa realidade predominam.

Falando nisso, é muito oportuno trazer um caso verídico, não um relato antigo, mas um 'bem novinho', recente, agora publicado em livro. *A Volta – A incrível e real história da reencarnação de James Huston Jr.* – é o título do livro. Seus autores, Bruce e Andrea Leininger, com Ken Gross. O prefácio é da escritora Carol Bowman (autora do livro *Crianças e suas vidas passadas).*

Carol, ao apresentar a obra assim se expressa, dentre outros comentários:

> *A Volta também é especial de outras maneiras. Somos testemunhas de algo milagroso na maneira pela qual o jovem James tocou o coração de tantas pessoas. Sua família atual, a família de sua vida anterior e os veteranos sobreviventes que lutaram ao seu lado em sua vida pregressa foram profundamente afetados por James. O que surgiu com tanta naturalidade para esse menino abalou as convicções arraigadas daqueles que o cercam. Sua história revela uma nova perspectiva de vida e morte para qualquer pessoa que perceba que isso não foi apenas fruto da imaginação de uma criança, e sim algo dolorosamente real.* [140]

[140] Bruce LEININGER; Andréa LEININGER. *A Volta – A incrível e real história da reencarnação de James Huston.*

O casal Leininger tem um filho, agora (em 2009) com onze anos, James Leininger. Tudo começou quando ele estava com dois anos, recém-completos. James era um menino feliz e brincalhão, a maior alegria de uma família amorosa, residente em Lafayette, ao sul da Louisiana (USA).

Na noite de 1º de maio de 2000, o casal acordou em meio aos gritos de James. Andrea, a mãe, correu a acudi-lo e o encontrou gritando, debatendo-se, chutando as cobertas; era, certamente, um pesadelo horrível. Assustada com a cena, ela conseguiu aos poucos acalmá-lo. Este foi o primeiro de muitos outros pesadelos, que ocorreriam *com uma regularidade aterrorizante e um frenesi cada vez maior. Houve épocas em que ocorreram cinco vezes por semana.*

Quando os pesadelos começaram, Andrea telefonou para o médico, que a tranquilizou dizendo que aquilo era normal e que logo diminuiria. O que não aconteceu. Bruce, o pai, conversava com o filho durante o dia, procurando entender o que acontecia naqueles sonhos angustiantes, na tentativa de transmitir-lhe segurança e amor, quem sabe assim os pesadelos cessassem.

Certa noite, porém, Andrea conseguiu compreender o que James dizia enquanto gritava.

O avião caiu! O avião está pegando fogo! O rapaz não consegue sair!

James acabara de completar dois anos. Estava começando a pronunciar algumas frases, no entanto, o que gritava, enquanto se debatia, eram palavras ricas de detalhes e absolutamente fora de seu reduzido vocabulário.

A partir daquela noite, ao entender o que o filho dizia o casal cada vez mais se surpreenderia com as revelações do pequeno James.

Mais adiante, ao lhe ser perguntado quem era o rapaz do avião, ele prontamente respondeu: — *Eu*. Em seguida começou a explicar como o rapaz fazia dentro do avião em chamas; deitou-se no chão e começou a se debater, tal como nos pesadelos, ante a surpresa da mãe.

Andrea chamou o marido e este, diante da cena, perguntou a James o que havia ocorrido com o avião. O menino respondeu que ele estava pegando fogo e caira, porque os japoneses haviam atirado nele.

Aos poucos as revelações foram acontecendo, em meio a conversas, enquanto o menino brincava ou em outros momentos; os pais evitavam começar o assunto, induzi-lo a falar, deixando que tudo acontecesse naturalmente.

Andrea soube do livro de autoria de Carol Bowman – *Crianças e suas vidas passadas*, e, diante dos fatos cada vez mais enriquecidos de detalhes, resolveu entrar em contato com a autora. Afinal, ambas tinham alguma coisa em comum.

A aproximação com Carol Bowman foi muito útil para os pais de James. Bowman orientou Andrea quanto ao que deveria fazer em relação aos pesadelos, uma medida que realmente surtiu efeito, pois o menino tornou-se mais calmo.

Ele ainda era um pequeno garotinho que usava fraldas e mamava na mamadeira.

Pouco tempo depois da afirmativa de James de que os japoneses haviam abatido o avião, novo diálogo ocorreu, ocasião em que o pai perguntara a James qual era o tipo de avião que o rapaz pilotava e de onde ele decolara.

James respondeu tratar-se de um *Corsair* e que ele decolava de um navio. O pai perguntou o nome do navio e o menino disse que o navio era o *Natoma*.

Bruce estranhou o nome, que parecia ser japonês.

Pouco depois Bruce, pesquisando no portal de busca *Google*, encontrou algo que o deixou estarrecido. Chamou Andrea e disse:

— *Você não vai acreditar. Natoma Bay foi, na realidade, um porta-aviões dos Estados Unidos que combateu no Oceano Pacífico, na Segunda Guerra Mundial.*

Ao lhe ser perguntado se tinha algum amigo, o menino respondeu, prontamente, Larsen. Jack Larsen. Este nome impactou os pais de James, visto que as informações fornecidas eram proferidas com muita segurança. Ambos estavam diante de uma situação singular, jamais haviam imaginado que um dia enfrentariam uma revelação tão fora dos conhecimentos e verdades que possuíam como base em suas vidas.

Andrea demonstrava alguma tranquilidade diante de uma mudança em sua maneira de pensar a vida. A questão das vidas passadas não a assustava, afinal era seu filhinho quem falava dessas coisas. Diferente, entretanto, eram as reações de Bruce.

Este foi criado no Catolicismo. Quando mais jovem frequentou os variados templos de outras religiões a fim de conhecer seus postulados. Já adulto associou-se, como ele próprio diz, "ao movimento cristão evangélico", e, depois se tornou membro de uma associação de empresários cristãos da Igreja Anglicana.

Ali passou a estudar a Bíblia profundamente, empenhado em uma trajetória de crescimento espiritual.

Bruce relata que passou a viver um conflito íntimo a partir dos pesadelos de James, e as revelações de um suposto passado, de uma outra vida, que, gradualmente, foram confirmados com uma exatidão impressionante. Isso abalava as suas convicções religiosas. Ele escreve que:

> *O impacto da história de James em meu bem-estar espiritual... bem, parecia uma operação militar espiritual. Meu propósito ao tentar ignorar o que estava acontecendo com meu filho era confirmar que tudo isso não passava de uma coincidência, por mais remota que essa possibilidade pudesse ser.*
>
> *É claro que fui arrastado para isso ao criar aqueles testes, ao elaborar perguntas que tinham de ser respondidas, e o tempo todo eu estava me aproximando cada vez mais de uma coisa... perigosa... Era como colocar a mão no fogo. [...].*

Bruce descobriu pela internet que havia várias associações de veteranos da Segunda Guerra Mundial. Foi assim que chegou a uma referência a um porta-aviões de escolta e, à reunião denominada Natoma Bay Association.

Mais uma surpresa para o pai de James.

Bruce vai, então, participar de uma reunião da Associação do *Natoma Bay*, após entrar em contato com um de seus membros. Justificou o seu interesse perante os veteranos ao dizer que estava colhendo dados para escrever um livro a respeito do porta-aviões. E realmente ele encontrou importantes documentos, fotos, depoimentos entre os participantes. Posteriormente soube que Jack Larsen estava vivo e conseguiu conhecê-lo pessoalmente. Outros sobreviventes foram sendo entrevistados por Bruce, e a todos ele questionava quanto a um determinado piloto, James Huston Jr.

Certa manhã, quando estava com quatro anos, James ajudava o pai a limpar o jardim, juntando as folhas no chão. Neste momento Bruce teve o impulso repentino de abraçar o filho. Ele o ergueu e o beijou, dizendo que se sentia muito feliz por tê-lo como filho. O menino disse ter sido por isso que o escolhera para ser seu papai.

Bruce não entendeu o que tinha acabado de escutar. Mais perplexo ficou quando o menino explicou que o encontrara e aquela que seria sua mãe no Havaí.

Bruce disse ao filho que ele estava enganado. Eles tinham ido ao Havaí no verão anterior, todos juntos. Mas, o menino esclareceu que os havia encontrado no grande hotel cor-de-rosa.

O pai ficou atônito, pois em 1997, ele e a esposa tinham ido ao Havaí para comemorarem o quinto aniversário de casamento. Eles ficaram hospedados em um grande hotel da cor citada pelo filho. Cinco semanas depois Andrea descobriu que estava grávida.

Outro momento extremamente revelador para os pais foi com relação aos bonecos que James ganhara. Ele denominou os três bonecos com nomes bastante diferentes, estranhos para a família. Eram eles: Billie, Leon e Walter. Estranhando a escolha, o pai indaga o motivo daqueles nomes, e a resposta foi algo impactante:

— *Porque foram eles que vieram ao meu encontro quando cheguei lá no céu.*

Bruce correu a procurar a lista com os nomes dos que foram mortos a bordo do *Natoma Bay*. Lá estavam os nomes e sobrenomes dos amigos do piloto James Huston e as respectivas datas da morte de cada um.

Leon Conner foi morto em 25 de outubro de 1944.
Walter Devlin, em 26 de outubro de 1944.
Billie Peeler morreu em 17 de novembro de 1944.
E James Huston Jr. foi morto no dia 3 de março de 1945.

O fato estava claro. Leon, Walter e Billie já estavam mortos quando James Huston foi morto ao sobrevoar Chichi-Jima.

Os três estavam esperando por ele no céu. [141]

Estes são apenas alguns trechos do riquíssimo caso de lembrança de vida passada, do menino James Leininger, relatado no livro *A Volta – A incrível e real história da reencarnação de James Huston Jr.* um corajoso depoimento de seus pais, Bruce e Andrea Leininger, a respeito da reencarnação.

Vários são os pontos significativos que podem ser ressaltados a partir do que transcrevemos dessa obra.

Primeiramente, é oportuno explicar a controvertida questão do esquecimento do passado. Pessoas acham difícil entender o fato de que, se realmente tivemos outras vidas, deveríamos recordar o que fomos anteriormente e de como foram nossas existências pretéritas.

Consideremos, entretanto, que nessa vida atual existem momentos vividos tão negativos e tão dramáticos que exigem de nós esforço maior a fim de os esquecer. Não desejamos lembrar, por exemplo, de um ato que cometemos e do qual nos arrependemos amargamente.

Assim, o esquecimento do passado é uma condição que demonstra a bondade Divina. Imaginemos o verdadeiro inferno que seriam nossas vidas se recordássemos de erros graves, de crimes que cometemos, de pessoas que nos agrediram, ou dos que se tornaram nossos inimigos, de amores mal resolvidos, de tudo o que sofremos ou fizemos sofrer

[141] Bruce LEININGER; Andréa LEININGER. *A Volta – A incrível e real história da reencarnação de James Huston.*

outras criaturas, enfim, não seria possível resgatar tudo isso em uma experiência de vida mais promissora com vista ao futuro, caso houvesse a lembrança do que vivenciamos no ontem. Esse é o recomeço que a Lei Divina proporciona a todos os seres humanos: a reencarnação.

É bom citarmos que o esquecimento do passado não é total, basta analisarmos o que somos hoje. Você que está lendo este livro verificará, fazendo uma autoanálise de suas tendências, de sua vocação para essa ou aquela área do conhecimento, de seus impulsos emocionais, que tudo isso expressa a sua bagagem anterior a se refletir no agora.

Contudo, não nos esqueçamos, nenhum de nós, de que o importante é o que somos hoje e não o que ficou nos tempos que se foram. O hoje é o nosso momento de reconstrução íntima.

Ainda a respeito da imortalidade do Espírito, vale ressaltar que essa só tem finalidade com a lei dos renascimentos, do contrário não haveria objetivo no fato de sermos imortais; havendo apenas uma única vida e situações totalmente díspares entre os seres humanos. Concluiríamos, então, que se Deus existe, esse é injusto e cruel, pois somente uma minoria seria beneficiada com a saúde, a prosperidade, a fama, a beleza e o poder; os demais comporiam a imensa massa dos perseguidos, pelo que se poderia chamar de "azar", de não lhes ter sido oferecida uma oportunidade melhor. Por que então sermos imortais? O que fazer com a nossa imortalidade?

Razão tem Léon Denis quando afirma: *A evolução do ser indica um plano e um fim. Esse fim, que é a perfeição, não pode realizar-se em uma existência só, por mais longa que seja.* [142]

Você, caro leitor, há de concordar comigo que é incrível o momento em que o menino James Leininger refere-se ao seu retorno à vida física e à escolha daqueles que seriam seus pais.

O Espiritismo postula que a ligação do Espírito reencarnante com a mãe ocorre no momento da concepção. A partir da fecundação a ligação se processa e o Espírito inicia, dessa forma, a sua nova etapa evolutiva. Isto significa que esse Espírito já existia e não foi criado naquele dado instante ou mesmo na hora do parto. [143]

Maiores dados podem ser encontrados na segunda parte de *O Livro dos Espíritos*, cap. VII questões 330 a 399.

A escolha dos pais, por sua vez, obedece a determinadas circunstâncias e o Espírito é atraído, vibratoriamente, para junto daqueles que teriam a missão de acolhê-lo e educá-lo; tarefa essa, infelizmente, hoje em dia, muito pouco considerada, e para a qual raríssimas pessoas estão preparadas e conscientizadas de sua importância. Ainda assim, a jornada que a Humanidade empreende, prossegue, com seus altos e baixos, bastante compreensíveis em razão de

[142] Léon DENIS, *O Problema do Ser, do Destino e da Dor.*

[143] Allan KARDEC, *O Livro dos Espíritos.*

nosso pouco e lento progresso espiritual. [144]

Outro trecho notável é aquele que James relata, de maneira tão natural, que os três amigos que ele homenageou colocando seus nomes em seus bonecos foram os que o esperavam, quando de sua chegada ao céu. Uma verdade dita por uma criança de forma tão singela e profunda.

Realmente os que morrem primeiro recepcionam os que chegam depois. Nada mais certo, mais lógico e, sobretudo, mais esperançoso. Vale dizer que não estamos ou ficamos a sós. Existe uma providencial ordem advinda de uma justiça imanente e equânime que rege as leis da imortalidade e da espiritualidade em todo o Universo.

Um dos maiores nomes da Física, Albert Einstein, sempre reconheceu que existe, diante do ser humano, uma sabedoria que só aos poucos será desvendada.

> *A mais bela e profunda emoção que podemos experimentar é a sensação mística. Esse é o semeador de toda a verdadeira ciência. Aquele para quem essa emoção é um fator desconhecido, que não mais pode admirar-se e quedar-se arrebatado de espanto, para todos os efeitos práticos já está morto. Saber que aquilo que é impenetrável para nós realmente existe, manifesta-se como a mais elevada sabedoria e como a mais radiante beleza que as nossas faculdades embotadas*

[144] Ibid

> *podem compreender em suas formas primitivas – esse conhecimento, esse sentimento, acha-se no âmago da verdadeira religiosidade.* [145]

Encerrando este capítulo atentemos, mais uma vez, para a palavra do físico indiano Amit Goswami, no seu notável livro *A Janela Visionária – Um guia para a iluminação por um Físico Quântico:*

> *De acordo com a lei do carma, toda ação praticada intencionalmente tem efeitos imediatos quanto de longo prazo. No contexto do modelo da reencarnação, isso quer dizer que amar ao próximo nos leva à espiritualidade, ao passo que causar dano ao próximo impulsiona reverberações cármicas que podem demorar vidas inteiras para se dissolver. Compreendendo as coisas nesses termos, é sábio evitar os resultados negativos de causar dano ao próximo. Do contrário, nós pagamos por isso em outra vida.* [146]

[145] Albert EINSTEIN, apud Russel N. CHAMPLIN (Ph.D.). *Você Vive Depois da Morte.*

[146] Amit GOSWAMI, *A Janela Visionária – Um guia para a iluminação por um físico quântico.*

Capítulo 19

Prece: conexão com a Mente Divina

A oração, a comunhão pelo pensamento com o universo espiritual e divino é o esforço da alma para a Beleza e para a Verdade eternas; é a entrada, por um instante, nas esferas da vida real e superior, aquela que não tem termo.
Léon Denis [147]

NA VÉSPERA DO NATAL DO ANO DE 1974, meu pai, José Caldas, teve um enfarte muito grave. Internado às pressas no então Centrocor, em Juiz de Fora, foi submetido aos procedimentos médicos habituais em casos semelhantes. Minha mãe, Zélia, com as três filhas e genros, instalou-se em um dos apartamentos disponíveis do hospital.

Por volta das 19 horas, o médico cardiologista que cuidava do meu pai há tempos, veio conversar com a família.

Recordo-me de suas palavras como se as tivesse ouvindo hoje. O cardioloigista discorreu, inicialmente, acerca

[147] Léon, DENIS, *O Problema do Ser, do Destino e da Dor.*

da gravidade do caso, inclusive esclarecendo o comprometimento de alguns órgãos vitais, como os rins, e em seguida disse, nada mais nada menos, o seguinte: — **O caso dele é gravíssimo. Se vocês sabem rezar, rezem**.

Após mais algumas palavras de reconforto, retirou-se. Estávamos nesse momento, apenas minha mãe e nós três, as filhas.

Minha mãe disse: — **Rezar é com a gente mesmo.**

Amanhecia o dia 25 de dezembro e nós em preces, que se renovavam em meio às conversações íntimas de uma família unida e criada no Espiritismo, vivendo as emoções compreensíveis diante da situação que estávamos atravessando.

Pouco depois das 8 horas da manhã, o mesmo médico bate à porta do quarto. Suas primeiras e inesquecíveis palavras foram:

— **Jesus Cristo olhou cá pra baixo hoje: tudo o que o Sr. José Caldas apresentava ontem, regularizou-se. Ele vai se recuperar!**

Era o dia 25 de dezembro de 1974.

Compreendemos que nossas preces tinham sido atendidas e que, naquela noite, meu pai havia sido medicado espiritualmente. É o que ensina a Mentora Joanna de Ângelis, quando afirma que:

O ato de orar, entregando a Deus a solução das ocorrências, faculta que o fenômeno do restabelecimento do enfermo decorra da Sua vontade, por conhecê-lo

profundamente, avaliando o que lhe é de melhor para este momento em relação ao seu futuro eterno. [...]
Desse modo, considerando as várias ocorrências de curas resultantes da interferência da prece, pode-se concluir que sempre será Deus a realizá-las, nada obstante os Bons Espíritos possam intermediar as bênçãos restauradoras e as emanações do orante contribuam para os resultados favoráveis. [...].
A oração ungida de amor e de interesse pelo bem--estar de outrem, a entrega da solução que deverá vir de Deus, são recursos essenciais para os resultados ditosos, mesmo que não se lhe opere o restabelecimento orgânico desejado. O mais importante será sempre a comunhão espiritual com a Fonte Geradora da Vida, da qual resultará o incomparável bem-estar que se pode fruir. [148]

Retornando ao caso de meu pai, dias depois, ele dizia que tivera uma *moratória.* Que durou quatorze anos.

Em 1975 fomos para São Paulo para a cirurgia de ponte de safena a que ele seria submetido. Foi operado pelo Dr. Zerbini, um dos pioneiros dessas cirurgias no Brasil, no grande Hospital Beneficência Portuguesa.

Esses detalhes da cirurgia de meu pai e seu surpreendente pós-operatório, eu relato no meu primeiro livro,

[148] Divaldo P. FRANCO, *Iluminação Interior.*

Obsessão/Desobsessão: Profilaxia e Terapêutica Espíritas. [149]

No ano de 1988, em fevereiro, ele pediu à nossa mãe que chamasse as três filhas, alegando que precisava conversar conosco.

Atendemos prontamente. Ele foi logo dizendo: — *Este ano, agora em março, Zélia e eu faremos bodas de ouro; em abril eu faço 80 anos; então quero dizer que minha moratória está terminando. Já são quatorze anos e minha hora está chegando.*

Ele estava bem de saúde, não apresentava sintoma algum que justificasse aquele pressentimento. Em seguida deu algumas instruções para nós quatro, inclusive mencionando onde minha mãe deveria morar. Claro que procuramos amenizar o impacto da notícia, argumentando que ele não deveria pensar daquela maneira. Minha mãe, minhas irmãs e eu recorremos àquelas frases que se fala nessas ocasiões, embora cada uma de nós soubesse bem o que ele estava prevendo.

Em março fizemos a festa de bodas de ouro, comemoramos o aniversário dele em abril e os meses transcorreram. Em julho ele teve uma isquemia, ficando bastante limitado e, em 12 de dezembro, meu pai desencarnou.

Deixou para nós e para todos os que tiveram o privilégio de seu convívio, o exemplo de um homem incrivelmente

[149] Suely C. SCHUBERT, *Obsessão/Desobsessão.*

bondoso, humilde e generoso, enfim, de uma vivência cristã espírita, que marcou para sempre nossas vidas.

Mas, desejo ressaltar aqui a importância da prece.

O valor da prece é inestimável. Aquele que ora entra em comunhão com a providência divina, desde que o faça com verdadeira fé, com sentimento, ou seja, com a alma.

Jesus ensinou a oração PAI NOSSO que, ao meu ver, é a mais perfeita prece que existe, não apenas por sua beleza, mas especialmente por ser uma síntese perfeita de tudo o que necessitamos, pois que cada frase tem um significado profundo e transcendental.

Em meu livro , escrevi a respeito da prece, assinalando que para o Espiritismo a oração é a nossa forma de comunicação com o Pai. Todavia, para a imensa maioria das pessoas, orar é apenas endereçar pedidos a Deus. Geralmente, as pessoas só se lembram de orar quando estão em dificuldades, pois quando tudo está indo bem se esquecem de Deus.

Na referida obra, ressalto que:

Para os indivíduos espiritualizados, que já despertaram para uma realidade transcendental, orar não é um ato e sim uma atitude. **Orar seria como a respiração da alma**. *Seria o ser humano consciente de sua essência espiritual buscando a comunhão com o Pai.*

Muitos cientistas, médicos e terapeutas da atualidade reconhecem o valor e o poder da prece em relação à saúde física, mental e espiritual do ser humano. Uma expressiva corrente da área médica, em pesquisa recente, concluiu que a oração, quando cultivada regularmente, fortalece o sistema imunológico. [150]

Em certas circunstâncias da vida a oração nos traz uma resposta imediata. Foi o que aconteceu comigo há tempos. Não recordo exatamente a data, acredito que tenha sido no final da década de 70, porque eu ainda não lançara o meu primeiro livro, *Obsessão/Desobsessão*, mas os originais já estavam na FEB, esperando a aprovação para ser editado.

Assim, eu, já me sentia uma escritora espírita, e em razão disso, fiz minha inscrição para um congresso de jornalistas e escritores espíritas, que aconteceria no Rio de Janeiro. Embora tivesse parentes residindo no Rio, preferi não recorrer a eles para hospedagem, visto que o evento seria no centro da cidade e meus tios moravam em Ipanema e Leblon, além do que, por serem idosos, não tinham carro. Encontrava-me, portanto, na dependência da hospedagem que me seria oferecida pelos organizadores.

Após ter feito minha identificação, aguardei a informação do local onde ficaria hospedada. Mas, ao ser informada, tive uma grande decepção, pois fora designada para uma Instituição, em um bairro tão distante que só à noite poderiam levar-me até lá. Imediatamente argumentei que precisava me preparar para a abertura do congresso, que seria à

[150] Suely C. SCHUBERT, *Mediunidade: Caminho para ser feliz.*

tarde, que não poderia ficar ali até o término das atividades do dia. Deram-me um papel e acrescentaram que, lamentavelmente, não tinham outras vagas.

Sentei-me, então, em outra sala, já arrependida de não me ter comunicado com os tios. Estava desalentada mesmo. Então, comecei a orar, pedindo ajuda aos Bons Espíritos. Mentalmente dizia-lhes que aquela era a primeira viagem que fazia naquelas condições e o primeiro congresso que participaria em minha vida. Pedi ao Espírito Ivon Costa que me socorresse, pois já imaginava que teria de voltar para casa, visto que, no dia seguinte seria a mesma coisa, teria de sair bem cedo para as atividades e só retornaria à noite. Pedi com muito fervor, mencionando a vontade de ficar e acompanhar todo o congresso.

Decorridos aproximadamente quinze minutos, eu continuava em prece e pedindo amparo. Nesse momento um senhor muito simpático passou pela sala, cumprimentou-me e desapareceu. Minutos se passaram e ele voltou. Aproximou-se e perguntou se eu havia sido atendida. Respondi que sim e expliquei que ali estava pensando o que iria fazer da vida, diante da situação. Ele me pediu que aguardasse um pouco e que iria verificar o que poderia fazer por mim. Identificou-se como um dos integrantes da comissão do evento e deu o seu nome, que aqui registro, pois lhe sou grata até hoje: Ivon Luz.

Evidentemente, que ao ouvir o nome tive enorme surpresa, mas não fiz nenhum comentário.

Pouco depois ele retornou e disse-me que havia telefonado para a esposa e em nome dela e em seu próprio nome convidavam-me para hospedar em sua residência. Acrescentou que isso facilitaria minha participação, pois teria o prazer de me levar em seu carro em todos os momentos do congresso. Dentro em pouco, já estava instalada no acolhedor apartamento do casal, que me recebeu com muito carinho e alegria, rendendo graças a Deus e ao Benfeitor Espiritual, Ivon Costa, especialmente.

Teria outra surpresa, logo ao almoço, quando relatara a minha prece e o pedido ao Ivon Costa, sendo atendido com a presença do Sr. Ivon, que tão fraternalmente, me convidara. Ele contou, então, que sua mãe conhecera pessoalmente o grande orador espírita, Ivon Costa, que o admirava tanto que ao nascer seu primeiro filho deu-lhe o nome de Ivon para homenageá-lo.

Sincronicidade – como dizia Jung? Coincidência? Resposta a um pedido feito em uma prece. Necessidade, talvez, que eu participasse do evento. Tanta coisa somada...

Os três ali, conversando tão amigavelmente era como se já nos conhecêssemos há tempos, trocando ideias acerca do amparo e desvelo dos Amigos Espirituais.

Todas as religiões recomendam a oração, embora grande parte dos seguidores se prendam a preces decoradas, que repetem sem qualquer sentimento e conscientização do seu imenso valor. Todavia, quando a prece é proferida com sentimento, quando expressa um verdadeiro grito da alma, uma súplica impulsionada com profunda fé, ela se eleva e, em um impulso vertical, alcança os Planos Espirituais superiores, que jamais deixam sem resposta aquele que ora com unção, envolvendo-o em bênçãos de luz, de paz, de força e coragem.

Entretanto, muita gente ora para propor trocas com Deus ("se o Senhor me der isto ou aquilo eu prometo que farei tais e tais coisas" – ou "prometo que farei um sacrifício de deixar de comer tal comida, ou deixarei de ir ao cinema", etc.); estes pedidos permanecem no plano horizontal da vida terrena.

É incalculável o número de casos, exaustivamente, comprovados que atestam a eficácia da prece, um referencial que acabou despertando o interesse de médicos, de cientistas, de pesquisadores, que passaram a se interessar pelos resultados benéficos que ela proporciona ao ser humano.

As pesquisas visam demonstrar que a oração tem ação terapêutica, psicológica, emocional, que podem inclusive promover ou contribuir para a cura das enfermidades.

Observemos o relato a seguir, cuja experiência, feita há três décadas, é frequentemente citada, em razão dos resultados alcançados.

Em 1988, foi realizada uma pesquisa no San Francisco General Hospital, na Califórnia, EUA. Quatrocentos pacientes com doenças coronarianas foram divididas em dois grupos, cada um com duzentas pessoas, de maneira aleatória.

Por um período de dez meses entidades cristãs rezaram em favor dos membros de um grupo, mas não para os do outro. As pessoas que foram convidadas a rezar conheciam somente o nome dos doentes, mas nunca os encontraram pessoalmente. Os pacientes foram informados da experiência de que estavam participando, mas não sabiam em qual grupo tinham sido colocados. Também o pessoal que os assistia desconhecia a qual dos dois grupos os doentes pertenciam.

Os resultados dessa pesquisa e relativa análise estatística demonstraram que os pacientes que foram objeto da oração dos fiéis desconhecidos, confrontados com os pacientes do segundo grupo, apresentaram melhor reação à doença, melhor estado físico que os dos outros, e estavam mais animados, por isso precisaram de menos remédios.

Outros estudos conduzidos na mesma linha de pesquisa e relatados em revistas científicas demonstraram que houve uma redução de mortalidade dentre os doentes que participavam ativamente de liturgias, orações comunitárias ou rezavam individualmente, em comparação àqueles que, em lugar das orações, recorreriam a tranquilizantes ou remédios em doses elevadas.

Muitas outras pesquisas têm sido realizadas ao longo destes anos, evidenciando os efeitos benéficos que a religião propicia. Isto, entretanto, não é novidade, visto que a cura e a religião sempre estiveram presentes na História da Humanidade. Dados extraídos do texto de Ernesto Arosio. [151]

Esta foi a conclusão a que chegou a renomada médica suíça, Elisabeth Kübler-Ross, em suas pesquisas a respeito da *morte e o morrer*.

Após anos de experiências, a que suas observações com doentes terminais proporcionaram, ela passou a admitir os benefícios da religião seja no processo de cura, seja no processo do *morrer*.

Durante um largo período, Elisabeth trabalhou com o reverendo Renford Gaines, que a ajudava nas entrevistas com os doentes considerados irrecuperáveis. Passavam horas conversando e, segundo ela mesma dizia, ensinando um ao outro. Ela o convidou, então, a participar dos seminários que apresentava e ele aceitou prontamente.

> *Para alguém como eu (ela escreve), treinada para pensar e a agir de acordo com a razão e a ciência, o mundo do espírito que o reverendo Gaines revelava era um alimento intelectual que eu devorava com sofreguidão. Habitualmente, evitava as questões relacionadas à espiritualidade em meus seminários e nas conversas com os pacientes, porque eu era uma psiquiatra. Porém, o interesse do reverendo Gaines por meu trabalho oferecia-me uma oportunidade única. Com a experiência dele, eu poderia ampliar o alcance de meu trabalho*

[151] Disponível em: http://www.pime.org.br/mundoemissao/espiritoracao.ht

incluindo nele a religião. (Ele passou a assessorá-la nos seminários).

Em matéria de estilo, um completava perfeitamente o outro. Eu indagava o que estava se passando dentro da cabeça do paciente. O reverendo Gaines indagava o que estava acontecendo com sua alma. [152]

As religiões, reconhecendo os benefícios da prece, sempre a recomendam, por considerá-la a forma mais usual de nossa comunicação com Deus ou com uma divindade.

Em *O Livro dos Espíritos*, Allan Kardec, ao abordar a Lei de Adoração, compreendendo o valor da prece, questiona os Espíritos Superiores quanto à sua importância a partir da pergunta 658 até a 666.

Reflitamos em duas dessas questões quando Kardec indaga:

659 – Qual o caráter geral da prece?

A prece é um ato de adoração a Deus. Orar a Deus é pensar nele; é aproximar-se dele; é pôr-se em comunicação com Ele. Pela prece podemos fazer três coisas: louvar, pedir, agradecer.

660 – A prece torna melhor o homem?

Sim, pois aquele que ora com fervor e confiança se torna mais forte contra as tentações do mal e Deus lhe envia

[152] Elisabeth KÜBLER-ROSS, *A Roda da Vida.*

os bons Espíritos para o assistir. É um socorro que jamais lhe é recusado, quando pedido com sinceridade. [153]

Entretanto, como ensina Joanna de Ângelis **arar é orar**, significando que podemos orar trabalhando, pois a prece é uma atitude interior, uma postura mental de contato com a Fonte Divina. O que quer dizer que para orar não são exigidos uma postura física, determinados gestos, ou muitas palavras, mas, um estado mental mais elevado, que modifica o padrão vibratório da pessoa, propiciando-lhe a sintonia com o Bem e com o Amor Divino.

Joanna de Ângelis elucida com profundidade a eficácia da oração:

A oração é emanação do pensamento bem direcionado e rico de conteúdos vibratórios que se expande até sincronizar com as ondas equivalentes, assim estabelecendo o intercâmbio entre a criatura e o Criador.

Não apenas dilui as energias deletérias como renova as forças morais do ser, saturando-o com vibrações superiores e de qualidade poderosa, que alteram as paisagens mentais, emocionais e orgânicas, por sutis processos de modificação do campo em que o mesmo se encontra. [154]

Importa considerar, com relação à importância e à ne-

[153] Allan KARDEC, *O Livro dos Espíritos.*

[154] Divaldo P. FRANCO, O *Evangelho à Luz da Psicologia Profunda.*

cessidade da prece, o fato de que essa elevação do pensamento no momento em que oramos, e a plena certeza de que seremos atendidos, é basicamente um ato de fé.

No conturbado oceano de vibrações mentais negativas, desequilibradas, em que o mundo se encontra, os momentos de prece abrem clareiras de luz, de paz e reconforto espiritual e físico.

Clarificando o nosso raciocínio com respeito à prece e à sua atuação, imaginemos uma pedra sendo atirada na superfície de um lago, que passa a vibrar em ondulações concêntricas que se vão espraiando a distâncias que se perdem de vista, dependendo da força de quem a lançou na água. Assim é a ação da prece: o pensamento de quem ora produz vibrações no chamado fluido universal, como ondas que podem se propagar a distâncias incalculáveis, dependendo da força da fé daquele que a profere.

A fé é, portanto, a impulsão poderosa que imprime à oração um teor de maior intensidade, o que a torna um impulso vertical que ascende aos planos superiores da espiritualidade.

Todos os seres, todos os mundos, todas as galáxias estão mergulhados no fluido cósmico universal. Para expressar com mais profundidade e beleza, direi que tudo está mergulhado na vastidão do oceano divino, que nada mais é do que o pensamento do Criador.

O querido e saudoso médium, Francisco Cândido Xavier, o Chico Xavier, psicografou, dentre outras, uma linda prece, em versos, que faz alusão à oração do *Pai Nosso.* Vale conferir:

ORAÇÃO

Pai nosso, que estás nos Céus,
Na luz dos sóis infinitos,
Pai de todos os aflitos
Deste mundo de escarcéus.

Santificado, Senhor,
Seja o teu nome sublime,
Que em todo o Universo exprime
Concórdia, ternura e amor.

Venha ao nosso coração
O teu reino de bondade,
De paz e de claridade
Na estrada da redenção.

Cumpra-se o teu mandamento
Que não vacila nem erra,
Nos Céus, como em toda a Terra
De luta e de sofrimento.
Evita-nos todo o mal,

Dá-nos o pão no caminho,
Feito na luz, no carinho
Do pão espiritual.

Perdoa-nos, meu Senhor,
Os débitos tenebrosos,
De passados escabrosos,
De iniquidade e de dor.

Auxilia-nos, também,
Nos sentimentos cristãos,
A amar nossos irmãos
Que vivem longe do bem.

Com a proteção de Jesus,
Livra a nossa alma do erro,
Sobre o mundo de desterro,
Distante da vossa luz.

Que a nossa ideal igreja
Seja o altar da Caridade,
Onde se faça a vontade
Do vosso amor... Assim seja.

José Silvério Horta (Espírito) [155]

[155] Francisco Cândido XAVIER, *Parnaso de Além-Túmulo.*

Capítulo 20

Amor: interconexão universal

Um novo mandamento vos dou, que vos ameis uns aos outros como eu vos amei.
Jesus (João, 13:34)

O Universo é uma corrente de amor, em movimento incessante. Não lhe interrompas a fluência das vibrações.
Emmanuel[156]

JESUS RECOMENDA AOS DISCÍPULOS um novo mandamento.

Por que novo mandamento? Ele já ensinara o grande mandamento da lei: *Amarás o Senhor teu Deus de todo o teu coração, e de toda a tua alma, e de todo o teu pensamento. Este é o primeiro e grande mandamento. E o segundo, semelhante a este é: Amarás o teu próximo como a ti mesmo.* (Mateus, 22: 37 a 39).

[156] Francisco Cândido XAVIER, *Palavras de Vida Eterna.*

Segundo narra João, o evangelista, o Mestre transmitia, naquele momento decisivo, as Suas últimas instruções aos discípulos. Era a última ceia, mas só Ele sabia e, portanto, começa a preparar os onze homens (Judas já havia saído) que ali estavam, e que constituíam Sua equipe direta, para os testemunhos que teriam de enfrentar após a sua partida.

As palavras eram graves e definitivas. Jesus faz então uma entrega de amor, de amor incondicional, que nenhum dos que O ouviam teriam condição de dimensionar, o que só ocorreria bem mais adiante. Ele falava de uma outra gradação de amor, de um amor com outra intensidade; Ele falava de Si mesmo e do Amor que lhes dedicava. Evidencia este sentimento para marcar para sempre o Seu exemplo.

Compreendamos que, quando Jesus falava, quando lecionava expondo os mais belos e profundos ensinamentos que a Humanidade jamais tivera, quando os transmitia para os discípulos falava para a Humanidade de todos os tempos, falava para os tempos futuros. Suas palavras são palavras de vida eterna.

Dois mil anos depois aqui estamos nós tentando entender e alcançar a beleza, a profundidade e a transcendência desse sentimento de amor que Ele exteriorizava por meio desse magno discurso de despedida.

Sim, aquele era **um novo mandamento.** Que não revogava os mandamentos anteriores, mas era o importante testemunho pessoal do Seu próprio sentimento, o que, em uma análise mais atenta, ficaria, para sempre, como meta a ser alcançada.

Hanna Wolff, teóloga e psicóloga alemã, em uma análise baseada na perspectiva da psicologia profunda, afirma que o sentimento de Jesus era diferenciado, como observamos a seguir:

> *Ainda não fizemos a mais importante e mais central afirmação: a constatação de que sua função básica é o 'sentimento', e de que seu pensamento e discurso, sua atitude e comportamento, a realização global de sua existência manifestam um 'sentimento diferenciado'.*
>
> *Com efeito, Jesus não se comporta de tal sorte que 'também' exiba este sentimento; ao contrário, ele manifesta-o de forma exemplar.* [157]

Hanna Wolff menciona que os Upanichades dizem que o verdadeiro sábio está acima de toda interdependência do mundo: "Frio, ele passa pelo mundo". Nada o incomoda e nada mais o atinge. Contudo, a pesquisadora ressalta que Jesus não passa "friamente" por nada:

> *Ao contrário. Ele não passa 'friamente' ao lado da fome, doença, angústia, morte, culpa e abjeção; não passa 'friamente' ao lado das multidões e dos indivíduos que não têm pastor algum. Não passa ao lado*

[157] Hanna WOLFF, *Jesus na Perspectiva da Psicologia Profunda.*

de nada 'friamente', sobretudo ao lado do humilhado e desprezado, que sequer ousa levantar. Seu sentimento está sempre engajado: ele é o homem da prontidão de sentimentos, que com todos partilha esses sentimentos. E jamais fica em sentimentalismos supérfluos: sua empatia e simpatia extravasam-se em ações comandadas pelo sentimento. [158]

Ao longo dos tempos, o tema Amor tem sido o preferido dos poetas, compositores, artistas, escritores e religiosos. É, igualmente, o tema central das buscas humanas. Tamanha é a sua importância e necessidade na vida humana que Jesus veio a Terra ensinar, de maneira indelével, a Lei de Amor, exemplificando-a.

A vida de Jesus é ela própria, a mensagem do amor incondicional que Ele legou aos tempos futuros, para que o ser humano nunca mais se esquecesse de amar, em qualquer circunstância.

É a respeito desse amor que Léon Denis explana:

Se o Cristo foi o maior dos missionários e dos profetas, se tanto império teve sobre os homens, foi porque trazia em si um reflexo mais poderoso do Amor Divino. Jesus passou pouco tempo na Terra; foram bastantes três anos de evangelização para que o seu domínio se estendesse a todas as nações. Não foi pela Ciência nem

[158] Hanna WOLFF, *Jesus na Perspectiva da Psicologia Profunda.*

pela arte oratória que ele seduziu e cativou as multidões; foi pelo amor!
Desde a sua morte, seu amor ficou no mundo como um foco sempre vivo, sempre ardente. [159]

Esse foco está presente e prossegue influenciando aqueles que com Ele sintonizam. A memória cósmica, como já sabemos, registra as ações humanas e nos seus arquivos perenes brilha o centro refulgente do amor de Jesus, que atrai aqueles que estão comprometidos com a vida e que estão motivados a segui-Lo.

Esse amor, na sua essência profunda, é a mais sublimada expressão do Amor de Deus, transubstanciado, como em uma alquimia divina, para nutrir todas as almas que estagiam na Terra. Lembrando que, no dizer abalizado de Joanna de Ângelis, o amor do Cristo refulge em todo o sistema solar. Bem, se tudo está em tudo, não é exagero acrescentar: em todo o Universo.

Essa a interconexão cósmica do Amor...

Nosso pensamento se estende, nesse momento, e percorre a vastidão dos tempos. É imprescindível mergulhar nossos sentidos, nossa percepção, para entranharmo-nos de Beleza, de Luz, de Paz, enquanto percorremos mentalmente o Cosmo. E nesse enlevo percebemos em nós e em toda parte os lampejos do Amor divino.

---

[159] Léon DENIS, *O Problema do Ser, do Destino e da Dor.*

Nossos pensamentos, porém, sugerem novo rumo, uma introspecção em busca dos sentimentos que moram no mundo íntimo de cada ser humano. Há um nanouniverso dentro de nós.

É deveras importante indagarmos a nós mesmos, caros leitores, como andam nossos sentimentos. É fundamental descobrir essa semente sagrada, o amor que existe em cada um de nós, permitindo que seu desabrochar aconteça, e cresça, e se expanda, e se faça pleno, à medida que, conscientemente, priorizemos o exercício de amar, em nossa vida.

Em *Os Poderes da Mente*, (EBM Editora) escrevi:

> *Quando o amor se faz presente, dulcifica as criaturas e transborda em ações altruísticas, expandindo-se e multiplicando-se, atendendo à vida em todas as dimensões. Aquele que o sente em plenitude destaca-se, naturalmente, como um astro que tem luz própria e refulge em meio às sombras da ignorância humana. Seu brilho atrai e magnetiza as almas como um convite silencioso, mas que reverbera no íntimo dos que estão sintonizados. E do amor e do amar o fluxo e refluxo da vida se torna estuante de beleza e paz para os que se identificam com a harmonia cósmica que vibra em todo o Universo.* [160]

A Dra. Elisabeth Kübler-Ross, que dedicou grande parte de sua vida junto ao leito de enfermos terminais, buscando

[160] Suely C. SCHUBERT, *Os Poderes da Mente.*

ouvi-los para compreender-lhes as carências mais íntimas, sentindo, ela própria, que se aproximava dos seus últimos dias terrenos, escreveu, com muita sensibilidade e amor:

> *A única finalidade da vida é crescer. A suprema lição é aprender como amar e ser amado incondicionalmente. Há milhões de pessoas no mundo que estão passando fome. Há milhões sem um teto. Há milhões que sofrem de AIDS. Há milhões de pessoas que sofreram violência. Há milhões de pessoas que padecem de invalidez. Todos os dias, mais alguém clama por compreensão e compaixão. Escutem o som de suas vozes. Escutem como se o chamado fosse música, uma linda música. Posso garantir que as maiores recompensas da vida inteira virão do fato de vocês abrirem seus corações para os que estão precisando. As maiores bênçãos vêm sempre do ajudar os outros. [...].*
>
> *Todas as pessoas vêm da mesma fonte e retornam à mesma fonte. Todos precisamos aprender a amar e ser amados incondicionalmente. [...] Todos nós, quando nascemos da fonte a que chamamos de Deus, fomos dotados de uma faceta de divindade. É isso que nos dá o conhecimento de nossa imortalidade.* [161]

Todos os seres humanos, sem exceção, anseiam pelo amor, desejam ser amados, entretanto, a maioria ainda não

[161] Elisabeth KÜBLER-ROSS, *A Roda da Vida – Memórias do Viver e do Morrer.*

descobriu que para ser amado é preciso amar. É imprescindível sair da concha pessoal e se abrir para a vida, para o amor.

Pessoas existem que reclamam, a toda hora, da vida que levam, estão fechadas como que em uma cela pessoal e nada veem do mundo ao seu redor. Joanna de Ângelis, com muita propriedade afirma: *Há fome de amor perto do teu leito de queixas.*

O segredo é sair dessa concha egoística e olhar a vida que estua em toda parte e, esquecendo-se de si próprio, de seus problemas particulares tentar ajudar ao próximo.

O trabalho no Bem nos faz bem – é o que ensina Joanna de Ângelis, e cada um de nós pode constatar isso. Pelo pouco que fazemos o quanto recebemos! De alegria, de paz interior, de amor em nossa caminhada.

E, coisa extraordinária ocorre a quem se dispõe a essa mudança, a quem faz a sua iniciação na busca pelo próximo, enxergando nele um irmão. Aquele que assim procede sente, de imediato, na sua própria vida, a presença divina, sente-se, afinal, como partícipe da família universal.

Quando isto acontece, aquele que o experimenta jamais deixará de pensar no outro, torna-se, assim, um **cuidador espiritual**, que nada pede, que nada espera em retribuição, porque já recebe em seu coração os benefícios que o amor prodigaliza aos que estão em pleno exercício de amar.

O amor tem muitos matizes. Pode-se dizer: desde aquele que dá a vida para salvar alguém, talvez um desconhecido, até aquele que pacifica onde haja discórdia; que silencia quando poderia divulgar a fraqueza de outrem; que sempre faz um tanto mais para contribuir com a harmonia do seu ambiente familiar ou profissional; que está presente na educação dos filhos; que compreende as diferenças e as respeita; que busca consolar e balsamizar os sofrimentos alheios; que pensa na felicidade do próximo antes da sua; que se esforça por perdoar qualquer ofensa – enfim, que está no sublime aprendizado do amor, tal como Jesus ensinou.

O Espiritismo tem como bandeira, a caridade. *Fora da caridade não há salvação*, é um dos seus postulados básicos. E a caridade é o amor em ação.

O apóstolo Paulo escreveu uma das mais belas páginas acerca da caridade. Hoje em muitas traduções, encontra-se a palavra amor em substituição à palavra caridade. Trata-se da 1ª epístola aos Coríntios, cap. XIII. Transcrevo-a, em parte, conforme o *Novo Testamento*, tradução de João Ferreira de Almeida, considerada a melhor até hoje. O título que encima o capítulo 13 é:

A suprema excelência da caridade.

Ainda que eu falasse as línguas dos homens e dos anjos, e não tivesse a caridade, seria como o metal que soa ou como o sino que tine.
E ainda que tivesse o dom da profecia, e conhecesse todos os mistérios e toda a ciência, e ainda que tivesse

toda a fé, de maneira tal que transportasse os montes, e não tivesse caridade, nada seria.
E ainda que distribuísse toda a minha fortuna para sustento dos pobres, e ainda que entregasse meu corpo para ser queimado, e não tivesse caridade, nada disso me aproveitaria.
A caridade é benigna, a caridade não é invejosa; a caridade não trata com leviandade, não se ensoberbece.
Tudo sofre, tudo crê, tudo espera, tudo suporta. [162]

Observemos que, onde se lê **caridade** fosse escrita a palavra **amor**, o sentido seria ainda mais abrangente e completo. Talvez a substituição de uma palavra pela outra tenha ocorrido porque a ação da caridade pode ser realizada não com o intuito de amor ao próximo, mas, sim, porque aquele que a empreende tem interesse em fazer-se notado. Pode-se fazer a caridade por ostentação. Jesus previu isso e recomenda: *Tende cuidado em não fazer a vossa esmola diante dos homens, para serdes vistos por eles, pois não tereis galardão junto de vosso Pai que está nos céus. Quando derdes esmola, não saiba vossa mão esquerda o que faz vossa mão direita. (Mt 6 vv.1 e 3).*

Um comovente relato acerca do amor em ação está registrado em um dos capítulos do meu livro *O Semeador*

[162] *O Novo Testamento.*

de Estrelas, e refere-se a uma experiência surpreendente do orador e médium Divaldo Pereira Franco.

Neste livro, apresento as histórias de vida desse autêntico apóstolo do Bem, nesses conturbados dias em que vivemos.

Divaldo Franco tem uma obra notável, que é a *Mansão do Caminho*, na cidade de Salvador (BA), hoje referência internacional, como modelo de instituição educacional. São mais de 60 anos dedicados ao próximo.

Divaldo tem iniciativas as mais diversas, todas visando promover o ser humano, dando-lhe melhores condições de vida, propiciando-lhes, em suas carências mais essenciais, o resgate de sua dignidade, enquanto pessoa.

Sou amiga de Divaldo há 51 anos. Portanto, posso atestar com a certeza de quem o acompanha em sua vivência pública e na intimidade do seu lar, junto à sua equipe, na *Mansão do Caminho*, dedicação e amor de Divaldo Franco ao próximo.

Divaldo Franco, ainda bem jovem, teve uma ideia inusitada. Em seu coração trazia uma vontade muito forte, que aguardava o momento certo para executar. Ele queria conseguir "uma casa para morrer". Ele observava as pessoas nas ruas, dormindo embaixo das marquises e dizia para si próprio: – "estão morrendo"! Então, considerava que todo mundo só se preocupava em realizar obras para quem iria viver – como uma creche, uma escola, um hospital, etc., e para quem iria morrer? E os que estavam nas sarjetas, os moradores de ruas, alguns deles enfermos terminais, irrecuperáveis, sem um lugar para morrer com dignidade?

Bem pensou, bem realizou.

Seu projeto contagiou uma pessoa que proporcionou os recursos para que o sonho se concretizasse. E em que local o sonho foi possível? Como as condições não eram significativas e, mesmo porque, as circunstâncias assim exigiam, Divaldo Franco foi à região da invasão, em Salvador, e ali encontrou uma tapera de taipa (feita com varas e barro); o local devia ser bem simples para que os que fossem recolhidos ficassem à vontade, mas também seria aconchegante, porque haveria um leito, coberta, alimentação, tratamento, e muito amor. A casa possuía dois quartos, uma saleta, cozinha, banheiro. Ele colocou uma tabuleta sobre a porta: CASA DE JESUS.

Divaldo Franco, contando com Nilson de Souza Pereira, o querido amigo de sempre ao seu lado, no mesmo apostolado do Bem, foi, então, recolher os que dormiam sob as marquises.

O primeiro foi um epiléptico, que as infindáveis crises deformara, agravadas por uma artrite avançada, sem qualquer tratamento, impossibilitando-o de dobrar o corpo. Tinha uma ferida na cabeça que não cicatrizava, infestada de bichos. Divaldo Franco a lavava, desinfetava e, mesmo com compreensível repugnância, pela falta de hábito, enfrentava o trabalho de cuidar do homem, cujo nome era André.

Logo em seguida três senhoras que frequentavam o Centro *Caminho da Redenção*, sensibilizadas, vieram ajudar. Elas passavam o dia com os doentes, enquanto Divaldo Franco, Nilson Pereira e mais algum outro colaborador, passavam a noite. Durante o dia estes tinham o trabalho profissional.

Mais adiante veio à *Casa de Jesus* uma senhora que Divaldo Franco tomou aos seus cuidados. Ele a viu na rua, atravessando uma praça, sem uma perna, pulando com muita dificuldade, apoiada em um pedaço de pau. Ele relata que foi uma das cenas mais comoventes de sua vida. Imediatamente foi socorrê-la. Ficou sabendo que ela tivera varíola e a perna fora amputada em decorrência de um câncer. A mulher tinha acabado de sair de um hospital de isolamento e ia para um bairro muito pobre e distante, para isso precisava tomar um bonde. Mas, como poderia fazê-lo naquele estado?

Quando a caridade está em plena ação tudo pode acontecer. Divaldo Franco resolveu levá-la de táxi; mas não tinha o dinheiro para a corrida. Pediu ajuda ao motorista que concordou em levá-los pela quantia que ele poderia pagar. Chegando ao bairro, ainda tiveram de percorrer um trecho a pé. Defronte de uma casinha humilde, bateram. Uma moça veio à janela e foi logo dizendo que ali ela não poderia entrar, para não contaminar os seus filhos. A mulher começou a chorar. Aquela era sua filha de criação. Diante disso,

Divaldo propôs levá-la para a *Casa de Jesus*, explicando-lhe a simplicidade do lugar. Ela disse:

— *Meu filho, eu estou na rua. Não tenho para onde ir.*

Observando-a, Divaldo Franco teve a impressão de que ela era uma mulher refinada, pela forma como falava.

A moça, prontamente, jogou uma velha mala pela janela; eram os únicos bens daquela mulher. O motorista olhava a cena a distância. Retornaram ambos no mesmo carro, e ela foi para a *Casa de Jesus*. Ela foi a primeira mulher interna a frequentar a *Casa de Jesus*, até então só havia homens internados.

Pouco tempo se passou e um dia ela mostrou a Divaldo Franco um álbum de fotografias, que estava em sua mala. Ele teve uma grande surpresa, pois a senhora que ali estava na mais extrema pobreza, enferma, havia sido embaixatriz do Brasil, no Egito, na Tchecoslováquia, no Uruguai. Era esposa de um embaixador e terminava os dias em uma situação tão dramática.

A morte da senhora é um episódio doloroso, que está relatado no livro acima referenciado.

A *Casa de Jesus* funcionou durante três anos. O trabalho ali era contínuo. Divaldo Franco, relembrando aqueles dias sofridos, conta como viviam:

Vivíamos ali, na miséria com os miseráveis.

Eu tinha um salário, o Nilson também, tínhamos a casa de meus pais, onde morávamos, mas dávamos tudo o que recebíamos, já que pedíamos a outrem – porquanto fica muito fácil fazer a caridade pedindo aos outros, a gente entra com o sorriso e a simpatia – por isso nós vivíamos ali, comendo a mesma comida, pois o dinheiro não dava para que fôssemos comer em outro lugar. Havia alguns poucos amigos que participavam deste trabalho, entre os quais o confrade Augusto Soares. [...]. Numa maré do mês de agosto, que é muito forte, as águas subiram e derrubaram a casa. Tiramos os doentes rapidamente. Lá no 'Caminho da Redenção', o prédio possuía vários quartos e ali os alojamos, porque a maré tombou a casinha e o terreno sumiu. [...].

Divaldo Franco cita o exemplo de Chico Xavier, que atendia na peregrinação, com o povo todo a acompanhá-lo, mas,

[...] os (casos) mais graves, os piores, ele visitava sozinho, nas noites de quinta-feira. Como eu faço as minhas visitas, nos buracos do Pau da Lima (o bairro onde se localiza a Mansão do Caminho), de noite, escondido até do pessoal da Mansão, para que ninguém vá comigo, porque, senão, quem faz a caridade são eles e não eu. E quando é que eu vou fazer a caridade? Se eu peço, as pessoas generosas dão e eu aplico isso para os que necessitam, mas esta é a caridade daquelas pessoas. Quando é que eu vou fazer a minha

caridade pessoal? Fazemos os Natais todos, mas, depois, de madrugada, escondido, sozinho, eu saio com os meus pacotes para ir aos meus doentes – se é que eu posso chamá-los assim.

Assim ensinou Jesus.

Como Divaldo Franco, muitos são os exemplos edificantes de pessoas que dedicaram suas vidas ao amor ao próximo. Esquecidas de si próprias caminham pelas ruas do mundo recolhendo os desvalidos, os enjeitados sociais, os que estão morrendo debaixo das pontes, nos vãos escuros da miséria social e moral.

Madre Tereza de Calcutá está caminhando ainda nas vielas sombrias, em meio aos monturos, não abandonou os rejeitados; em Espírito prossegue, sensibilizando outras pessoas a dar continuidade ao seu ministério de amor.

Assim, também Chico Xavier, cuja vida terrena foi um exemplo marcante de amor universal, um legítimo apostolado do Bem e da Paz, e que, do outro lado da Vida, prossegue no trabalho de doação plena aos sofredores de todos os matizes.

Francisco de Assis, em nome do Cristo, preside a caminhada do amor universal.

O sofrimento campeia no mundo, à espera daqueles que despertaram para a realidade transitória e efêmera da existência terrena, cujos corações sensíveis estão disponíveis para o aprendizado do amor e da solidariedade.

É oportuno repetir agora a frase de Emmanuel, que colocamos em epígrafe:

O Universo é uma corrente de amor, em movimento incessante. Não lhe interrompas a fluência das vibrações.

Este é o propósito deste livro: fazer parte dessa corrente de amor, caminhar no fluxo do Universo, no movimento incessante de amar.

Não há restrições e nem determinadas e especiais condições para se unir a essa corrente de luz. Não importa a religião que professe. Basta querer. Comece a amar e você se unirá para sempre à corrente de amor do Universo.

Mentes interconectadas à sublime atração do Amor Divino.

Seja feliz!

Referência bibliográfica

BRANDEN, Natanael. *Autoestima, liberdade e responsabilidade*. Saraiva, 1989.

BORGONOV, Eduardo C. *O Livro das Revelações*. 2ª ed. São Paulo: Ed. Alegro, 1999.

BOZZANO, Ernesto. *Os Enigmas da Psicometria*. 5ª ed. Rio de Janeiro: Feb, 1999.

CAPRA, Fritjof. *O Tao da Física. Um paralelo entre a física moderna e o misticismo oriental*. 26ª ed. São Paulo: Cultrix, 2006.

CHAMPLIN, Russel N. *Você Vive depois da Morte*... São Paulo: Nova Época.

CHOPRA, Deepak. *A Cura Quântica*. 45ª ed. Trad. Evelyn Kai Massaro e Marcília Britto. Best Seller.

COELHO, Humberto S. *Genealogia do Espírito*. Rio de Janeiro: Feb, 2009.

COLLINS, Francis. *A Linguagem de Deus: Um cientista apresenta evidências de que Ele existe*. Trad. Giorgio Cappelli. São Paulo: Ed. Gente, 2007.

DAMASIO, António. *O Mistério da Consciência*. São Paulo: Cia. das Letras, 1999.

DELANNE, Gabriel. *O Fenômeno Espírita*. 3ª ed. Trad. Francisco Ewerton Quadros. Rio de Janeiro: Feb, 1997.

______ *A Alma é Imortal*. 7ª ed. Trad. Guillon Ribeiro. Rio de Janeiro: Feb, 1997.

DENIS, Léon. *O Grande Enigma*. 7ª ed. Rio de Janeiro: Feb, 1983.

______ *O Problema do Ser do Destino e da Dor*. 10ª ed. Rio de Janeiro: 1997.

______ *No Invisível*. 18ª ed. Rio de Janeiro: Feb, 1998.

______ *Depois da Morte*. 10ª ed. Trad. João Lourenço de Souza. Rio de Janeiro: Feb, 1978.

FRANCO, Divaldo P. Espírito Joanna de Ângelis. *Em Busca da Verdade*. Salvador: Leal, 2009.

______ *Dias Gloriosos*. Salvador: Leal, 1998.

______ *Momentos de Meditação*. Salvador: Leal, 1988.

______ *Autodescobrimento: Uma Busca Interior*. Salvador: Leal, 1995.

______ *Iluminação Interior*. Salvador: Leal, 2006.

______ *O Jesus e o Evangelho à luz da Psicologia Profunda*. Salvador: Leal: 2000.

______ *O Filho de Deus*. Salvador: Leal, 1986.

______ Espírito Carlos Torres Pastorino. *Impermanência e Imortalidade*. Rio de Janeiro: Feb, 2004.

GOSWAMI, Amit. *O Universo Autoconsciente: Como a cons-*

ciência cria o mundo material. Trad. Ruy Jubgmann. São Paulo: Aleph, 2007.

______ *A Física da Alma*. Trad. Marcello Borges. São Paulo: A Aleph, 2005.

______ *Deus não está Morto*. Trad. Marcello Borges. São Paulo: Aleph, 2008.

______ *A Janela Visionária: Um guia para a iluminação por um Físico Quântico*. Trad. Paulo Salles. São Paulo: Cultrix, 2000.

GROF, Stanislav. GROF, Christina. *A Tempestuosa Busca do Ser*. Trad. Fátima Regina Machado. 10ª ed. São Paulo: Cultrix, 1998.

JAFFÉ, Aniela. *Memórias, Sonhos e Reflexões*. Trad. Dora F. da Silva. 15ª ed. Nova Fronteira, 1975.

KARDEC, Allan. *O Livro dos Espíritos*. Trad. Evandro Noleto Bezerra. Rio de Janeiro: Feb, Ed. Comemorativa, 2006.

______ *O Livro dos Médiuns*. Trad. Guillon. 42ª ed. Rio de Janeiro: Feb, 1998.

______ *O Evangelho Segundo o Espiritismo*. Trad. Guillon Ribeiro. Rio de Janeiro: Feb, Ed. Especial, 2004.

______ *A Gênese. Os milagres e as predições segundo o Espiritismo*. Trad. Guillon Ribeiro 41ª ed. Rio de Janeiro: Feb, 2002.

KÜBLER-ROSS, Elisabeth. *A roda da Vida. Memórias do Viver e do Morrer*. Trad. Maria Luiza N. Silveira. Sextante, 1998.

LEININGER, Bruce; LEININGER, Andrea. *A Volta: A incrível e real história da reencarnação de James Huston Jr.* Trad. Claudia G. Duarte. Rio de Janeiro: Best Seller, 2009.

LIMA, Wallace. *Princípios Quânticos no Cotidiano.* Ed. Universitária. UFPE, 2009.

MATTHEWS, Robert. 25 *Grandes idéias: Como a Ciência está transformando o mundo.* Trad. José Grandel. Rio de Janeiro: Ed. Jorge Zahar, 2008.

MESQUITA, José Marques. *A Dinâmica da Mente na Visão Espírita.* Ed. São Paulo: Ed. Luz no Lar São Paulo.

MIRANDA, Hermínio C. *Memória Cósmica*, São Paulo: Lachâtre, 2008.

______ *Reencarnação e Imortalidade.* Rio de Janeiro: Feb,1976.

______ *Diversidade dos Carismas.* Ed. Arte e Cultura, 1991.

MOURA, Marta A. *Reformador.* nº 2154, Artigo: "A Teoria de Tudo". Rio de Janeiro: Feb, setembro 2008.

NOBRE, Marlene. *O Clamor da Vida.* São Paulo: FE Ed, 2000.

______ *A Alma da Matéria.* São Paulo: FE Ed, 2003.

NOVO TESTAMENTO. Trad. João Ferreira de Almeida Soc. Bíblica do Brasil 1954.

PEREIRA, Yvonne A. *Devassando o Invisível.* Rio de Janeiro: Feb, 1964.

RADIN, Dean. *Mentes Interligadas: Evidências científicas de telepatia, de clarividência e de outros fenômenos psíquicos.* Trad. William Lagos. Aleph 2008.

ROMANELLI, Rubens. *O Primado do Espírito*. 4ª ed. Lachâtre Ed, 2000.

SANTOS, Jorge Andrea. *Correlações Espírito-Matéria*. Rio de Janeiro: Ed. Samos, 1984.

______ *Lastro Espiritual nos Fatos Científicos*. Petrópolis: Sociedade Editora Espiritualista F.V. Lorenz, 1994.

SCHUBERT, Suely. *Os Poderes da Mente*. Santo André: EBM, 2004.

______ *Mediunidade: Caminho para ser feliz*. Votuporanga: Didier, 1990.

______ *Obsessão/Desobsessão: Profilaxia e Terapêutica Espíritas*. Rio de Janeiro: Feb, 1981.

______ *O Semeador de Estrelas*. Salvador: Leal, 1989.

SCHURÉ, Edouard. *Os Grandes Iniciados*: Hermes. Martin Claret. 1986.

SIVANANDA, Swami. *Concentração e Meditação*. Trad. Zilda H. Schild Silva. 11ª ed. Pensamento, 2001.

STEVENS, Anthony. *Jung: Vida e Pensamento*. Vozes, 1993 Ed. Attillio Brunetta.

TEIXEIRA, José Raul – *Diretrizes de Segurança*. Niterói: Frater, 1990.

XAVIER, Francisco C. VIEIRA, Waldo Espírito André Luiz. *Evolução em Dois Mundos*. Rio de Janeiro: Feb, 1959.

______ *Mecanismos da Mediunidade*. Rio de Janeiro: Feb.

XAVIER, Francisco C. Espírito André Luiz. *Ação e Reação*. Rio de Janeiro: Feb, 1957.

______ *Libertação.* 5ª ed. Rio de Janeiro: Feb, 1971.

______ Espírito Emmanuel. *Roteiro.* Rio de Janeiro: Feb, 1952.

______ *Pensamento e Vida.* 9ª ed. Rio de Janeiro: Feb, 1991.

______ *Fonte Viva.* 36ªed. 2007

______ *Palavras de Vida Eterna.* Uberaba: Ed, CEC, 1964.

______ Diversos Espíritos. *Parnaso de Além Túmulo.* 10ª ed. Feb.

PIRES, Herculano. *Diálogos dos Vivos* GEEM. São Bernardo do Campo, SP: 1976.

WALSH, Roger, VAUGHAN, Frances. *Caminhos Além do Ego.* Trad. Marta Rosas. São Paulo: Cultrix, 1999.

______ *Além do Ego: Dimensões Transpessoais em Psicologia.* Trad. Adail Sobral e Maria Stela Gonçalves. Cultrix, 1997.

WAMBACH, Helen. *Recordando Vidas Passadas.* Trad. Octávio Mendes Cajado. São Paulo: Pensamento, 1978.

WILBER, Ken. *Transformações da Consciência: O espectro do desenvolvimento humano.* Trad. Sonia Maria Christopher, 2003.

WOLFF, Hanna. *Jesus na Perspectiva da Psicologia Profunda.* Trad. Alberto Costa. 9ª ed. São Paulo: Cultrix, 2003.

ZIMERMANN, Zalmino. *Perispírito.* Campinas: Ed. CEAK Campinas, 2002.